Seeing Gender

MIGHT BE A
WOMAN

ドクターペッパー
もしかしたら女性かも

SEEING GENDER
An Illustrated Guide to Identity and Expression
IRIS GOTTLIEB

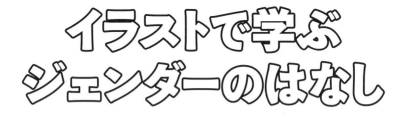

イラストで学ぶ
ジェンダーのはなし

みんなと自分を理解するための
ガイドブック

アイリス・ゴットリーブ=イラスト・文

野中モモ=訳

FILM ART
フィルムアート社

わかろうとしているわたしたちみんなに（犬のバニーにも）。

凡例
● 書籍・映像・文芸・コミック・テレビシリーズ等の題名については『』を、論文・
　楽曲等の題名は「」を用いて記した（なお「」については強調等の意で用いた
　箇所もある）。
● 邦題の存在しない作品や書籍、論文等の題については原題の直訳を用いた上で、
　原題をイタリックで記載している。
● 本文中で〔〕で囲んだ記載はすべて訳注を示す。

Contents

この本について

メレディス・タルサン

私たちは常にジェンダー〔gender／社会的・文化的に構築された性〕を"見て"います——あるいは少なくとも、「ジェンダーとはこういうもの」という私たちの認識を。ジェンダーは私たちの人生にすごく大きな影響を及ぼしているのに、私たちはそれが自分たち人間によって作り出されたものだということを忘れてしまいがちです。近年、トランス〔transgender／トランスジェンダー、出生児に割り当てられた性と性自認が一致しない人〕およびノンバイナリー〔non-binary／男性・女性の性別二元論にのっとったいずれかの性別を自認しない人〕のアイデンティティへの関心が高まり、何世紀にもわたって差別に耐えてきた人々に以前より敬意が払われるようになったのに加え、シスジェンダー〔cisgender／生まれた時に割り当てられた性別と自認する性が一致し、それに従って生きる人〕の人々を含む全員が、ジェンダーを有することにはどういう意味があるのかを考える地ならしができました。この本は、このジェンダーという世に広く行き渡っている力が本当のところどんなものであるのかを明らかにします——それは私たちをコントロールするものではなく、私たちそれぞれがコントロールできる社会的な約束事なのです。

もし私が性別移行〔transition／何らかの手段で自身の心と体の性の不一致を解消すること。衣服やメイクなどの外観を変える、自分自身を示す代名詞を変える、あるいは性別適合手術を受けるなど、さまざまな方策がある〕をした時にこの本があったら、両親や友達にあげていたことでしょう。自分を指す代名詞を変えたことについてお父さんにブツブツ言われたら？　私はこの本の代名詞のページ（P24）にしおりを挟んで手

渡したでしょう。あなたは女の子にしてはかわいくないってお母さんに言われたら？　私は性役割のページ（P54）の端を折ってこの本を渡してあげたでしょう。私が手術を受けることについて仲のいい友達が戸惑っているようなら、トランスの人々にとって手術にはどんな意味があるのかについてのページ（P44-45）を見せてあげたでしょう。もしこの本が存在していたら、面倒や涙の経験もだいぶ少なくて済んだはず。だから私は今ここにこの本があることに、わくわくしています。

とはいえ、単によき友達またはアライ〔ally / LGBTQ+の権利運動を支援する人々を指す言葉〕でいるためにこの本を読むというのは賢明ではないでしょう。これはトランスとノンバイナリーの人々だけでなく、ジェンダーと何らかの関係のある人なら誰でも読むべき本、つまりあなたを含むみんなのための本です。西洋社会におけるジェンダーの構造は、歴史的にヨーロッパ系白人男性の利益に資するものでしたが、現在では私たちみんなを抑圧しています。ジェンダーにまつわる時代遅れの固定観念は、私たちそれぞれが望む通りにふるまい、なりたい人になることをしきりに阻んでいるのです。

この本で素晴らしいのは、アイリス・ゴットリーブの楽しく素敵なイラストが、私たちが話題にしているのは抽象的な現象としてのジェンダーだけでなく、この世界で生きている人々のことなのだと思い出させてくれるところです。彼女はジェンダーについて学ぶ過程をより楽しくし、

こうした概念は必ずしもアカデミックに語られなくてもいいのだと証明しています。

この本は、読書から、人生から、または両方から既にジェンダーについて学んでいる人たちにも、いろいろと魅惑的な発見をもたらしてくれることでしょう。ハイヒールもピンク色もかつては男性と結びつけられていたって知ってた？　ますます多様化する地球上のジェンダーとセクシュアリティ〔sexuality / 性、またはそれに伴う欲求や行動、現状、傾向を示す言葉〕を視覚化して理解するのに便利な道具は？　デヴィッド・ボウイがどんなにファビュラスかを思い出したい？　この本はこうした情報をわかりやすく提供してくれるので、あなたのお手元に置いて、必要な時に手に取ってください。

この本には、ジェンダーに込められた深い意味を理解するのを助け、それによってジェンダーに関する幻想を壊すパワーがあります。この本はジェンダーとはどんなものかを見せ、私たちはジェンダーが人生に及ぼす影響に異議申し立てできるのだということを思い出させてくれます。誰かひとりがジェンダーを見る／真に理解するたびに、どんなジェンダーの誰であろうと自由に自分自身でいられる未来へと、私たちは一歩ずつ近づいているのです。

メレディス・タルサン
──トランスジェンダーのジャーナリスト。著書に『フェアエスト：ア・メモワール *Fairest : A Memoir*』（未邦訳／Viking）

はじめに

ジェンダーは複雑。人間のあらゆる側面が複雑であるように。
人類がジェンダーを発明したのだから、わたしたちはそれを理解するために最善を尽くすべきです。

わたしはジェンダー・スタディーズの学者ではないけれど、あなたと同じように自分のジェンダーと体を有しています。このページを見ている人は誰でも、性差を重視する感覚が浸透しきった世界を自分の体で生きる経験をしてきたはずです。わたしは自分自身のジェンダーについてまったく無関心な状態から、いまも継続中の性別移行の行程をなんとか進めるまでに至った経験を通じて、この本を書こうと決心しました。わたしが自分自身の肉体的経験を理解し、このきわめて個人的で扱いにくい話題をめぐってソーシャルメディアを介して世界中の人々とつながるにあたって、絵を描くことは助けになりました。どうしてかといえば、ジェンダーは視覚的に示されるところが多く、イラストとい

う共通言語は、そうした抽象的であいまいな概念を伝えるのに適していたからです。

この本はいろいろな読みかたができます。

- ジェンダー表現の幅広さと複雑性、またその歴史を理解するためのわかりやすい入口として。
- 自分自身のジェンダーを探り、他者の経験についての理解と共感を深めるための独学のツールとして、またインターセクショナリティの複雑さを考えるよう促す招待状として。
- 共存するさまざまなアイデンティティ（人種、階級、ジェンダー、セクシュアリティ、メンタルヘルス）が、より大きな社会システムの内部におけるジェンダーといかに関係しているかについての考察として。
- わたしのジェンダーと、それが時と共にどう変わってきたかの物語として。同時にさまざまな人々が提供するジェンダー・アイデンティティとそれにまつわる困難、考察、

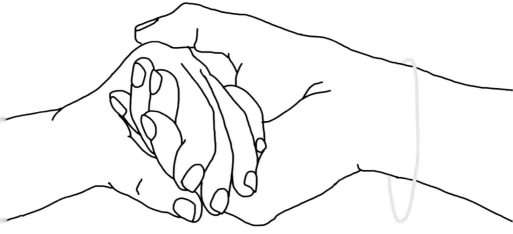

経験についての物語として——役に立つ装備を挟みつつ。

- この世界において自分自身を見つけようとして入り込む、大きく、暗く、恐ろしい深淵に差し伸べられる応援の手として。他の人々の中に自分自身の姿を見い出すことによって、疎外されている際の孤独感が薄れる効果は過小評価できません。これを見ているクィア、トランスジェンダー、アセクシュアル、不確定、自意識強めのあなた、あなたはひとりぼっちじゃないよ！

この本を書くにあたって、わたしは私的な物語を伝え、事実と歴史の情報を提供し、革命家たちを讃えます。そうすることで、性別二元論に基づく境界線の外側にいる人々と、そうした人々に馴染みのない人々とのあいだに、理解と共感（エンパシー）を築き上げるのをお手伝いしたいのです。またわたしは、そうした多様なジェンダーの数々を体現することの難しさも明らかにします。なぜならわたしたちは、最も暗いところにある悲しみと困難を感じることによって、はじめて最も輝かしい瞬間にある喜ばしいものを感じることができるようになるからです。

この本が目指すのは、大きく複雑なテーマについての情報を、手に取りやすく美しい体裁にまとめ、学術的でなく横断的な視点から説明することです。一部の情報は個人的なものであり、そのように受け取ってもらうことを意図しています。ひとりの人が自分の体で生きるという経験は、すべてが唯一無二の私的なものです。できる限り多くの視点が含まれるよう努めていますが、一部の声が見逃されたり、不正確に描写されたりすることも、起こる可能性があります。この本を読んで、自分のことが書かれていないと感じたかたには、たいへん申し訳なく思います。わたしはこの経験からもっと多くを学びたいと願っています。

ハロー

わたしについて

名前：アイリス・ゴットリーブ

年齢：30

代名詞：考え中だけど今のところは彼女（she）

出身地：ノースキャロライナ州ダーラム

人種：白人

ジェンダー・アイデンティティ：ボーイ（今のところ）

好きなアイスクリーム：クッキー＆クリーム

職業：イラストレーター、作家、科学者、不平を言う人、
アニメーター、くだらないジョークを考える人

好きなモノ：拾った鮫の歯4000本のコレクション

代名詞：近年のアメリカ合衆国では、英語で主に三人称複数の
人称代名詞として使用されている「they（彼ら）」が、性を特
定しない三人称単数の人称代名詞としても用いられる場面が増
えた。「he（彼）」または「she（彼女）」と呼ばれたくないノ
ンバイナリーの人々の増加や、ジェンダーを特定できない誰か
を指す場合にも一般に「he」が使用されていることの弊害に
ついての認識の高まりを反映した動きである。2019年にはア
メリカ英語学会が「2010年代の言葉」としてこの「they」を
挙げている。「代名詞」については本書P24も参照のこと。

A Good Place to Start

まずはここから

ジェンダーは
社会的に構築されたものである

人間がジェンダーを発明した

加えてわたしたちは、書き言葉や数学、宗教、
人種、そして単位で計測できる時間というもの
も発明しました。これらの概念は有意義かつ重
要だけれど、あくまでも人間が見通せる範囲内
だけに適用されるものです。わたしたちはこれ
からジェンダーの規則を破っていきましょう。
なぜならそれらは実情に合っておらず、害を及
ぼしていることが多々あるからです。ジェンダー
の規則に従わずに行動することで、わたしたち
は絶対不変のジェンダーから離れ、誰もがのび
のびと、自分の望むままの体で、望むままに愛
し、望むままに装って、怖気づくことなく生き
るほうに向かって進んでいくのです。

わたしたちは自らが創り出したものから解き放
たれなければいけません……あるいは少なくと
も、それを目指して努力しなければ。

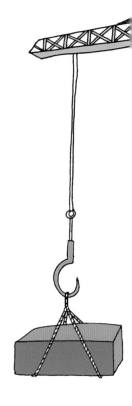

生まれる前からジェンダー化

ジェンダーは、ひとりの人物について最初に収集される情報であり、わたしたちが何者であるのかについて外の世界から最初に投げかけられる質問です。この質問はわたしたちがこの世に生まれてさえいない時点からはじまり、その後ずっと続いていきます。

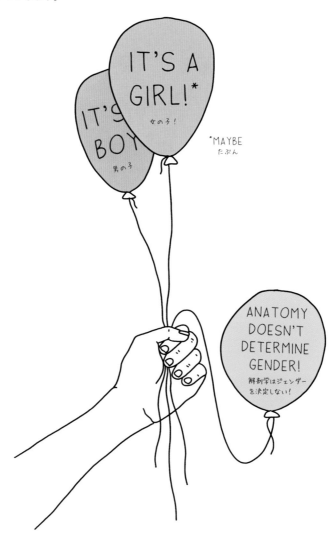

気温に基づく性決定
赤ちゃんウミガメについてのおぼえがき

たいていの種の性別は、受精の段階で決定されます。しかし、ウミガメ（およびその他いくつかの爬虫類）の赤ちゃんの性別は、受精卵が産み落とされた地域の気温によって決定されるのです。もし周りの砂の温度が常時およそ28℃より低かった場合、だいたいオスが生まれます。もし31℃より高かった場合、だいたいメスが生まれます。温度が上下した場合は、オスとメスが混在します。

気候変動の影響で砂の温度が高くなり、メスとオスの個体数が不釣り合いになった結果、ウミガメの繁殖は以前よりも難しくなっています。

ジェンダーにまつわる用語・入門編

Aジェンダー（エイジェンダー／アジェンダー）：自分はどのジェンダーでもないとする人。〔日本では「Xジェンダー」と呼ぶこともある〕

アロマンティック：他者に恋愛感情をまったくあるいはほぼ持たない人（これはスペクトラム〔二項対立的ではなく、境界線の曖昧な連続性を持つものとしてあること〕である）。

アセクシュアル：他者に性的な関心をまったくあるいはほぼ持たない人、および性的行為への欲求が低いまたは無い人。アセクシュアルの人のすべてがアロマンティックというわけではない（片方はセクシュアリティ、もう片方は恋愛感情の話だから）。アセクシュアルであることは禁欲とは別物！ 禁欲はセックスを避けようという意図的な選択だけれど、アセクシュアルは違う。

アサインド・セックス（出生時の性）：ある人が出生した時点で割り当てられた性。通例、その人がどのジェンダーとして育てられるかと一致する。その人自身のジェンダー・アイデンティティと一致する場合もしない場合もある。

バイオロジカル・セックス（生物学的な性）：生殖器官、第二次性徴、染色体、ホルモンの身体的な特徴。二分されるものではない。

バイセクシュアル：男性と女性の両方に惹かれること。また、ふたつ以上のジェンダーへの性的関心、または自分と同じジェンダーと他のジェンダーへの性的関心と定義される場合もある。

ブッチ：通例、女性に生まれて、精神的、感情的および／あるいは肉体的にマスキュリン・オブ・センター（MoC）を自認する人を指す。MoCとは伝統的に男性的とされる装いおよび／あるいはふるまいの型を意味する。（わたし自身はマスキュリン・オブ・センターという語にはちょっと違和感がある。なぜならそこには"中心"が存在するかのような含みがあるから。しかしながら、この言葉は非女性的な表象を簡潔に総称する語として使われている）

シスジェンダー：ジェンダー・アイデンティティと出生時に割り当てられた性が一致する人。

ドラァグ・クィーン／キング：通例、エンターテインメントのために女性の衣装で装う男性、あるいは男性の衣装で装う女性。ドラァグ・クィーン／キングでいることは、その人の性的指向をあらわしはしないものの、一般にクィア／ゲイ・コミュニティと結びつけられている。

フェム（ファム）：精神的、感情的および／あるいは肉体的に女性を自認する人。多くの場合クィア女性に対して用いられる語。

ジェンダーバイナリー（性別二元論）：男性と女性、ふたつのジェンダーしかないという考えかた。

ジェンダー・ディスフォリア（性別違和）：ある人の体とジェンダー・アイデンティティの折り合いがつかない感覚。

ジェンダー・エクスプレッション（ジェンダー表現、性表現）：服装や社会的なふるまい、および／あるいは態度によって表現されたジェンダー。

ジェンダー・フルイド：ジェンダーがさまざまに変化し、それが流動的に示される人。

ジェンダー・アイデンティティ（性自認、性同一性）：自分自身の気持ちの上のジェンダー感覚。これはジェンダー表現とも出生時の性とも違う場合もあり得る。一般的なジェンダー・アイデンティティのいくつかの例：女性、男性、トランスジェンダー、ジェンダークィア、Aジェンダー。

ジェンダークィア：ジェンダーバイナリーにのっとったアイデンティティを持たない人。この語はよくジェンダー・フルイド、Aジェンダー、ジェンダー・ノンコンフォーミング（旧来のジェンダー規範に合わない人）などを総称するものとして用いられる。

ヘテロノーマティヴィティ（異性愛規範）：もともとこの語はすべての人が異性愛者であるとする仮定を表現したものだったが、現在ではジェンダーにまつわる仮定も包含するものへと意味が広がった。ヘテロノーマティヴィティは制度的にも（書式にジェンダーニュートラルな選択肢がなかったり、トイレが男女別しかなかったり）、社会的にも（男性に見える人に「ガールフレンドはいる？」と尋ねたり、バチェロレッテ・パーティーに男性器の形のお菓子が飾られたり）あらわれる。

ヘテロセクシュアル：ジェンダーバイナリー／ヘテロノーマティヴィティのもとで、自分自身とは違うジェンダーの人に肉体的および感情的に惹かれる人。

ホモセクシュアル：自分自身と同じ性の人に肉体的および感情的に惹かれる人（注記：この言葉はもうあまり使われておらず、現在は仲間内ではクィア、ゲイ、LGBTQ+といった語のほうが受け入れられている）。

インターセックス（旧・両性具有者）：「典型的な女性あるいは男性の特徴には適合しない生殖および性にまつわる解剖学的構造を持って生まれた人の、さまざまな状態を指す総括的な言葉」──北米インターセックス協会

代名詞：人々が自分自身を指し示すものとする代名詞はさまざまだ（英語の場合、she/her、he/him、they/them、ze/zir）。誰かを本人が希望する代名詞で呼ぶことは、敬意の表明として任意でなく必須とされる。

クィア：あらゆる非ヘテロセクシュアルおよび／あるいは非シスジェンダーのアイデンティティを包含する総称。

トランスジェンダー：出生時に割り当てられた性とは別のジェンダーを自認する人。

トゥー・スピリット：第3の性（そこでは男性的および女性的エネルギーが混ざっている）の人々、複数のジェンダーを持つ人々、あるいは西洋の性的指向およびジェンダーの二分法の外側にあるアイデンティティを持つ人々を認識するものとして、ファースト・ネーション（カナダ先住民）の人々によって使われる総称。

注記：フィメールボディード（女性的体の−）およびメールボディード（男性的体の−）は、肉体は性別で二分されるという仮定のもとに一般的に使われている言葉だが、その仮定は間違っている。しかし性別二元論の文脈の外側にある体について語るための簡潔な言葉がまだ存在していないため、わたしはこの話題がもっとずっと複雑なものだと理解した上で、ところどころでこの言葉を使用する。

組み合わせは無限

セクシュアリティ、ジェンダー、性的指向、ジェンダー表現、解剖学的構造は、人間のアイデンティティにおいて流動的なものであり、若い世代ではさらに流動的になっています。これらの要素は人生の途中で変わるかもしれませんし、どんな組み合わせもあり得るのです。

セクシュアリティ：
△ アセクシュアル
◮ デミセクシュアル
◬ ホモセクシュアル
◭ バイセクシュアル
▲ パンセクシュアル
△ ヘテロセクシュアル

ジェンダー：
◪ トランスジェンダー女性
　 またはトランス女性
◧ シスジェンダー女性　またはシス女性
■ ジェンダークィア
⊡ ノンバイナリー
□ Aジェンダー
◩ トランスジェンダー男性
　 またはトランス男性
⊟ シスジェンダー男性　またはシス男性

性表現：
◉ 両性的（アンドロジナス）
◐ 女性的
◑ 男性的

セックス：
⬟ 女性
⬡ 男性
⬔ インターセックス

恋愛的指向：
✧ アロマンティック
★ ホモロマンティック
✦ ヘテロロマンティック
✦ パンロマンティック

デミセクシュアル（半性愛）：性愛者と無性愛者の中間にあり、他者に対して性欲を持つことは基本的にないが、感情的に強い結びつきを築いた相手などに例外的に性欲を抱くことのあるセクシュアリティ。

パンセクシュアル（全性愛）：あらゆる人が性的欲求の対象となり得るセクシュアリティ。

パンロマンティック：あらゆる人に恋愛感情を抱くことがあり得る恋愛的指向。

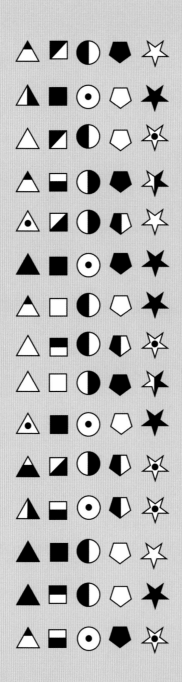

ジェンダー・
アイデンティティ

ジェンダー・アイデンティティとは自分がどの
ジェンダーであるのか、本人の心のうちにある
感覚です――つまり自分自身が何者であるのか
ということ。シスジェンダーの人は出生時に割
り当てられた性と一致したジェンダー・アイデ
ンティティを持っています。トランスジェンダー
またはジェンダークィアの人は出生時に割り当
てられた性とは異なるジェンダー・アイデンティ
ティを持っています。

例：
- 女性
- 男性
- Aジェンダー
- ボーイ
- ノンバイナリー
- ジェンダークィア

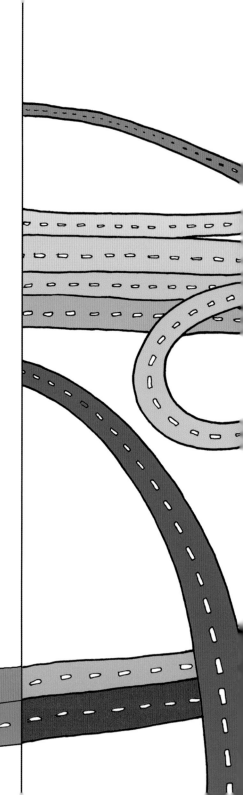

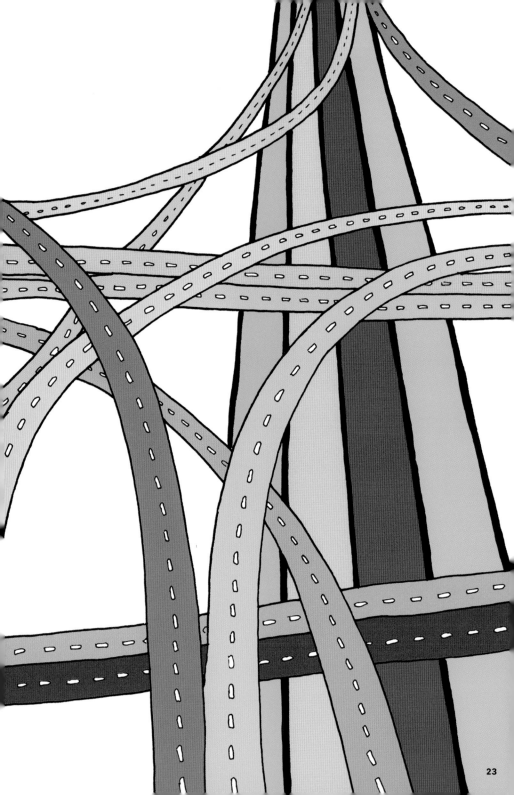

代名詞：それって何？どうして大事なの？

わたしたちは普段お互いのことを示すのに人称代名詞を使用します。「彼女」(she/her)、「彼」(he/him)、「かれら」(they/them)、など。多くの人は自分の代名詞を能動的に選び取る必要がありません。なぜなら代名詞でどう呼ばれるかは、はじめから自分のジェンダー・アイデンティティと一致しているからです。

シス女性にとって、彼女の性は女性であり、彼女のジェンダーは女性で、彼女の代名詞は「彼女」です。

しかしジェンダー・ノンコンフォーミング、トランスジェンダー、Aジェンダー、インターセックスの人にとって、そのような割り当てられた代名詞は、本人のジェンダー・アイデンティティと一致していない場合があります。誰かが自分で選んだ代名詞および／または名前に敬意を払うことは、きわめて重要です（もう使われていない以前の名前はたいてい「死んだ名前_{デッドネーム}」とされます）。ジェンダーが曖昧だったり彼女／彼という区分けの完全に外側にいる人の多くは、she/her（彼女）やhe/him（彼）の代わりに、文法の上でも概念としてもジェンダーを特定しない、they/themという代名詞を使います。こうしたジェンダー・ニュートラル（ジェンダー中立的）な代名詞で誰かを呼ぶのを拒否する人々の言い訳には、以下のようなものがあります。

- 「難しすぎる」
- 「不自然だ」
- 「そんなの大したことじゃない」
- 「文法的におかしい、それは複数形」

言い訳としてはどれも良くないし、理屈が通りません！ はじめはみんな混乱するかもしれませんが、それでいいのです。ただ配慮と敬意を示す努力をしましょう。

こうした言い訳については、以下のように考えてみてください。

- 実のところそれほど難しいことではありません。わたしたちは結婚した人を新しい姓で呼ぶのにすぐに慣れています。
- 言語は進化します。これは言語の進化です。
- あらゆることは最初「不自然」に感じられますが、そのうち一般化されます。わたしたちは言語を創り出したのだから、変えることもできます。
- みんながあなたをあなたのジェンダーとは違う代名詞で呼びはじめたらどうか考えてみてください。嫌な気分になりませんか？
- 誰かが自分の財布を無くしました（Someone lost their wallet）。ほら！ 単数形の「their（誰かの／自分の）」を使いましたよね。

〔代名詞についてはP10の註も参照のこと〕

HELLO
MY PRONOUN IS...

こんにちは
私の代名詞は…

この人たちはみんなノンバイナリーを自認しています。

デヴィッド・ボウイ（1947-2016）

「ここから自分がどこへ向かうかはわからないけれど、
退屈にはならないって約束するよ」
――デヴィッド・ボウイ

デヴィッド・ボウイはその大胆なファッション、ジェンダーの冒険、音楽的な業績によって名を馳せ、偶像化されています。グラム・ロックの流行のリーダーだったボウイは、生涯を通じてさまざまなペルソナを表現しました。そのなかでも最も有名なのは、明るい髪色と派手なメイク、中性的でとんでもない衣装をまとった華やかなパフォーマー、架空のバイセクシュアル異星人ロックスターであるジギー・スターダストです。ボウイはたびたび自らのペルソナを変えました。その瞬間、彼が誰であっても、彼は常にボウイなのです。

彼は特定の性的指向に直接的に縛られることなしに、男らしさの型を完全に壊してみせた最初のスーパースターでした。ボウイはジェンダーとセクシュアリティの探究とそれらの流動性において、革新的なアイデンティティを創り出しました。ドレス、フェイスペイント、グリッター、オールインワン、明るい髪色、ハイヒール、ブラウス、口紅、シルクのスカーフ、派手なジュエリー――なんでもありです。

エンターテイナーであり、音楽とファッションにおける変身の名人である彼の存在は、クリエイションの世界に影響を与え続けています。アレキサンダー・マックイーンからレディー・ガガ、クィアの若者たちまで、たくさんの文化や時代からの要素を吸収するファッションの世界では、今もなお彼からの影響が示されています。

デヴィッド・ボウイ：ロンドン郊外出身のロックスター。1967年にデビューし、70年代前半グラムロックを代表するアーティストとして世界的な人気を獲得。1972年、妻と子がありながら「自分はゲイだ」と発言し、世間を驚かせた。俳優として『地球に落ちてきた男』『戦場のメリークリスマス』などの映画にも出演している。代表作に『ヒーローズ』など。

衣装：山本寛斎

ジェンダー・
ディスフォリア（性別違和）

**性別違和とは自分の体が自分のジェンダー・ア
イデンティティと一致していないように感じる
状態のことです。**

人は生きるうえで社会的、肉体的、感情的な違
和感をおぼえることがあり、その不快感は社会
的なジェンダーの移行（代名詞や名前の変更など）、
スタイルの変更、あるいは外科手術やホルモン
療法による体の変容で軽減されるかもしれませ
ん。これらはすべて人が自分の体で快適に生き
ていくための重要な手段です。

もしその不快感がどんなものか想像するのが難
しかったら、この思考実験を試してみてくださ
い。ある日あなたが目覚めて、自分のジェンダー
とは異なる性的特徴、服装、性役割を担うこと
になっていたらどうでしょう。もしあなたがシ
スジェンダー男性なら、自分に乳房、月経周期、
または女性的な名前があるのを想像してくださ
い。あなたは違和感を持ち、内面のアイデンティ
ティに合う名前で自分を呼んで敬意を払うよう
他の人々に求めるか、もしくは男性的な姿にな
るために医療に頼ろうとするのではないでしょ
うか。

トランスジェンダーの人々は常に間違った体に
囚われているように感じてきたのだという言い
かたがあります。これは多くの人にとって真実
である一方で、性別違和は時間と共に紆余曲折
を経て進行・変化するもので、先に挙げた手段
のうちのすべてではなく、ひとつかそれ以上を
取ることによって軽減される場合も珍しくあり
ません。シスジェンダー女性は自分の体でより
快適に過ごすために乳房を小さくしたり、大き
くしたり、もしくはなくしたりすることを選べ
ますが、そこでジェンダー・アイデンティティ
を変えはしません。出生時に女性とされたジェ
ンダー・ノンコンフォーミング（gender-noncon-
forming / ジェンダー・アイデンティティが典型的な男と女の性
別二元論に収まらない人々を広く示す言葉。ノンバイナリー、A
ジェンダー、ジェンダー・フルイドといった人々もここに含ま
れる）の人々は、たとえ第二次性徴（顔のひげ、低い
声、広い肩幅）を発現させるためにテストステロ
ン（男性ホルモン）を摂取していても、決して自分
に男性代名詞を使いはしません。誰かが自分自
身の体で心地よくいられるようになるために必
要なもの、求めるものは人それぞれで、かなり
幅があるのです。変化は突然かもしれないし、
一般的なかたちでかもしれないし、少しずつゆっ
くり訪れるかもしれません。**そして、あらゆる
やりかたに正当な根拠があり、それで問題はな
いのです。**

子どもが自分が出生時に割り当てられた性とは
別のジェンダーであると主張する場合、
それは信用されるべきである

そしてその翌日に
自分のジェンダーを変えたいと望むなら、
その主張もまた信用されるべきである

ジェンダー・エクスプレッション（ジェンダー表現／性表現）

ジェンダー・エクスプレッションは伝統的なジェンダー役割、労働分担、抑圧構造、文化規範と密接に結びついています。**ジェンダーがどのように表現されているかは、その人のジェンダー・アイデンティティを示しているとは限らないと肝に銘じておきましょう！**

好み、快適さ、安全、地理上の場所、宗教を含む（しかしこれらだけに限らない）多くの理由から、ある人のジェンダーはそのジェンダーの一般的な社会規範通りのかたちでは示されていないかもしれません。保守的な街に住む少年は、本人が女性的に自分を示したいと望んでいても、それを実行するのは難しいかもしれません。シスジェンダーの少年はドレスを着ることができますし、着てもなおシスジェンダーの少年のままです。

ジェンダーがどんなふうに示されるかのいくつかの例：

- ハイ・フェム（非常に女性的なジェンダー表現。そうした表現を採用するレズビアンに使われることが多い）

- アンドロジナス（両性的）

- マスキュリン（男性的）

- フェミニン（女性的）

- ブッチ（男性的なジェンダー表現。多くの場合、そうした表現を採用するレズビアンをこう呼ぶ）

これらのアイテムはすべてひとりの人の棚に入っている。

アトラクション（惹かれること）
──どう？　何を？　誰に？

ジェンダー・アイデンティティ、セクシュアリティ、性的指向の違い

わたしたちはこれら3つがひとかたまりのもの
だと考えがちで、切り分けるのがたいへん難し
い場合もあります。混乱してもいいんです！
自分自身が誰にどう惹かれるかを見つめ直すこ
とは、これらをそれぞれ個別の要素として考え
る良い訓練になるでしょう。

1.　あなたのジェンダー・アイデンティティは
　　何？　シスジェンダー女性、トランスジェ
　　ンダー男性、ジェンダークィア、それとも
　　まだわからない？

2.　あなたは誰に惹かれる？　誰にでも？　自
　　分と同じジェンダーの人、それとも違うジェ
　　ンダーの人？　誰にも惹かれない？

3.　他者との関係においてどんなふうに親密に
　　なりたい？　完全にセックスなし？　恋愛
　　相手は複数？　閉じた（お好みなら開いたままの）
　　扉のうしろでは、あなたとあなたが惹かれ
　　る相手とのあいだではどんなことが起こ
　　る？

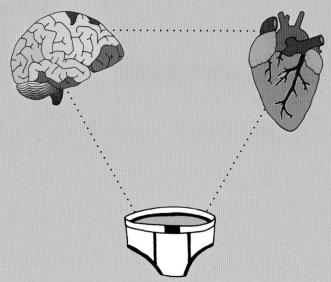

ジェンダー・アイデンティティとは
自己（内面での理解）

性的指向とは
欲する対象が**誰**か（他者に向けた外向きの欲望）

セクシュアリティとは
何を**どう**欲するか（どんなふうに親密になりたいか）

この人に注目：
プリンス（1958-2016）

「ぼくは女じゃない／ぼくは男じゃない／ぼくは君が決して理解しない何か」
――"ダイ・フォー・ユー"（I WOULD DIE 4 U）

わたしはプリンスが大好き。彼の奇抜な紫色の栄光まるごと全部。彼はジャズ・ミュージシャンだったお父さんの芸名にちなんで、生まれた時にプリンスと名付けられました（フルネームはプリンス・ロジャース・ネルソン）。将来、歴史的なセールスを誇る音楽アーティストにして20世紀のファッション・アイコンになる子にはぴったりの名前です。

プリンスは音楽の天才で、信じられないくらい多作なアーティストでしたが（アルバム42枚に加えて未発表曲でいっぱいの倉庫がたくさん）、わたしたちがプリンスを想う時、頭に浮かぶのはカラフルで華やかで、堂々と中性的かつ大胆にセクシュアルな彼の存在感です。彼は史上最大級にジェンダー・フルイドなパフォーマーのひとりとして、それまでとは異なる黒人性（ブラックネス）の表現を世界に示してみせたのです。彼は大胆な衣装を着てアイライナーを引き、謎めいた雰囲気をまとって、人種、セクシュアリティ、ジェンダー、ファッションの決まりごとに挑戦しました。ある時には、彼は自分の名前を、男性と女性を示すジェンダーのシンボルを組み合わせて装飾を加えた、声に出して読めないシンボルに変えました。彼は自信たっぷり誇りを持って、自分の中にある男らしさと女らしさを受け入れた黒人男性でした。彼はあらゆるルールを破ったのです。

プリンスは複雑さと矛盾の塊であり、ジェンダー・アイデンティティと性的指向の違いをはっきりと示しました。彼はストレートの女性的な男性であり、クィア／トランスジェンダーのアイコンであると同時に、保守的なエホバの証人の信者です。彼の複雑さはわたしたちに、ジェンダー、セクシュアリティ、宗教の交差にまつわる固定観念の見直しを余儀なくさせるのです。

中年になって以降（エホバの証人の信者になってから）、彼はいくつかのインタビューで反ゲイと聞こえるような発言をしました。かつて彼のバンドのメンバーだった、ウェンディ・メルヴィンとリサ・コールマンは、自分たちが同性愛者であることを自己批判しなければふたたび共演はしないと彼に言われたと述べました。しかしながらその数年後、彼らは同じステージに立っています。

ゲイ・アイコンがクィアネスに反対するなんて？性的な表現の自由のパイオニアがそんな四角四面になってしまうものなの？

まあ、そういうものです。人間は複雑で常に変わり続けます。ひとつのカテゴリが自動的に他のカテゴリのことを示しはしないのです。晩年の彼の政治的あるいは宗教的信念がどうあれ、プリンスは人々に自分のアイデンティティをもっと自由に表現していいのだと感じさせました。

プリンス：アメリカ合衆国ミネアポリス出身のミュージシャン。ロック、ファンク、ソウルなど多彩なジャンルの要素を取り入れた独創的な音楽を大量に制作・発表し、黒人ポップスターとして最大級の成功を収めた。代表作に『パープル・レイン』など。

アセクシュアリティ

アセクシュアリティについてはあまり語られていません。しかし、もっと語られるべきです！

アセクシュアリティは、誰かまたは何かに性的に惹かれることがまったく、もしくはあまりなく、性行為への欲求がない、もしくは低い人々の性的指向のことです。禁欲（セリバシー）とは異なり、アセクシュアリティは選択するものではなく、恋愛あるいは性的な対象を問いません（誰に惹かれるかとは無関係です）。クィアという語とよく似て、アセクシュアリティは数多くのもっと詳細な指向のタイプを含む包括的な用語です。**アイデンティティのその他の側面と同じく、セクシュアリティは流動的な幅のある傾向（スペクトラム）として存在します。**感情的な結びつきがある場合にだけ誰かに性的に惹かれる人（デミセクシュアル）がいれば、性的な要素は求めずに誰かに恋愛する人もいます。アセクシュアルを自認する人々の多くは、たとえ誰かと長期にわたる関係を結んでいてもそのアイデンティティを持ち続けます。その一方で、アセクシュアルの時期を出入りする人々もいます。

わたしはアセクシュアルを自認しており、本書にこの話題が含まれることは自分にとってとても重要です。大衆的なメディアでアセクシュアルが表象されることはほぼないに等しく、実在の指向だと信じてもらえないこともしばしばです。なので、わたしはアセクシュアリティに注目と表象をもたらしたいのです。アメリカ文化においてセックスに興味がないことは恥ずべきこととされていて、それがアセクシュアルだとカムアウトするのをたいへん難しくさせています。そのせいで、内面化された恥の意識や、自分が生まれつき壊れているのではという感覚が生じてしまいかねません。

アセクシュアルの人々は、それは過去のトラウマのせいであって本当は違うはずだとしょっちゅう誰かに説得を試みられたり、大量のお世辞や露骨な侮蔑を浴びせられたりしています。今後、アセクシュアルの人に以下のことを決して言わないでください。

- 「まだいい人に出会ってないだけかも」
  （不適切）

- 「上品ぶるなよ」
  （わたしはそうじゃない）

- 「そんなの実在しない」
  （する）

- 「そういう時期なだけ」
  （いいえ、これがわたしのセクシュアリティです）

- 「やってみないとわからないよ」
  （あー、わたしはわかってるんで）

- 「禁欲してるってこと？」
  （いいえ、禁欲は選択するものです）

- 「子どもはどうするの？」
  （子どもを持つ方法は他にもあるし、欲しくなければそれで何の問題もない）

- 「一度いやな経験をしただけでしょう」
  （不適切。わたしにいやな経験をしたことがあるとしても、それは自分がセックスをしたいはずだと思い込んだから。トラウマはセクシュアリティに影響を与えることがあるけれど、トラウマに関係したアセクシュアリティもアセクシュアリティには変わらないし、その妥当性は問われるべきでない）

誰かがこのアイデンティティを表明した時に、難しい経験をしているその人を信じて支援することは、とても大切です。他者からの不信と恥の意識は、人を社会的な義務あるいは抑圧から生じる性的に不快な状況に陥らせたり、先々に拒絶されることを恐れて恋愛関係を完全に避けさせたりしてしまう可能性があります。

Google

asexuality is |　　アセクシュアリティ　は

asexuality is **wrong** 間違い
asexuality is **not lgbt** lgbtではない
asexuality is **not normal** 普通でない
asexuality is **a disease** 病気
asexuality is **a lie** 嘘
asexuality is **impossible** ありえない
asexuality is **a choice** 選択
asexuality is **a spectrum** スペクトラム
asexuality is **normal** 普通

Report inappropriate predictions
不適切な推測を報告しよう

↑
実際のGOOGLEサジェストキーワード

アセクシュアリティは本当に素晴らしいものにもなり得ます！　アセクシュアルの人と愛に満ちた関係を築くやりかたには無限の可能性があります。セックスなしで親密になる方法はたくさんあります。セックスをテーブルから片付けたら、読書したり、散歩したり、友達に会ったり、他の関心を追求したりする時間が増えるし、頭の中にあなたを幸せに満ち足りた気持ちにさせるものが占める空間が、たぶんちょっと広がります。誰もがいわゆる恋愛関係を求めている

わけではないということで言えば、アセクシュアルの人々はセクシュアルな人々と同じです。

アセクシュアリティは何か価値あるものが欠けているとか不足しているとかを意味するわけではありません――単なるセクシュアリティのひとつなのです。あなたは他のセクシュアリティの人と比べて価値がないなんてことはありません！　あなたは大切な人だし、ひとりではないのです！

動物たちの同性愛行動

動物たちがセクシュアリティを持つのか否かには議論の余地があります（子孫を作ろうとする生存本能に含まれない性的な好みや関心という意味で）。これまで膨大な数の種の動物が、同性の個体との交尾行動──必ずしも性的行動とは限らない──に関与しているところが観察されています。これについての説明はたくさんあります。たとえば支配の表現、求愛行動、非性的なパートナーシップ、愛情、相手がいない状況での生殖ホルモンへの刺激。

頻繁に同性間の性行動を見せたり、長期にわたって同性パートナー関係を結んだりする数多くの種のうち、いくつかを挙げてみましょう。コクチョウ、蜻蛉、象、こうもり、ウィップテール・リザード、ハイエナ、ペンギン、牛、キリン、イルカ、マーモット。類人猿のボノボはほぼ完全にバイセクシュアルで、通例オス・メス両方との非生殖セックスに関与します。ところで、人類は猿から進化したのだけれど、ほとんどの類人猿の性はすごく流動的なんですって……ちょっと言ってみただけ。

雄羊の10％は、たとえそこに雌羊がいても（自らの遺伝子を引き継がせる機会があっても）、他のオスの羊だけと交尾します。

そこに不自然なところは何もないのです。

ゲイの雄羊

身体的な性

身体的な性とは、ある人の生殖器官、染色体、ホルモン、第二次性徴（顔と体の毛、声域、乳房）における、身体的、生物学的な構造のことです。

赤ちゃんが生まれると、医師は外性器を見て、その子がどのジェンダーとして育てられていくのかを決定します。これは科学的にあまり厳密ではなく、ある人の身体的な性の特徴を支える他の多くの要素は考慮されていません。この行程はインターセックスの人々（P46を参照）に大きな害を及ぼすことになりかねません。

多くの人々は身体的な性別が（ジェンダーとは違って）不変だと信じていますが、それは間違っています。科学者たちは性別は二分できるものではなく、スペクトラムなのだと信じるようになりはじめています。たとえば、すべての男性が濃いヒゲと低い声を持っているわけではなく、すべての女性のお尻が大きく顔の毛が薄いわけでもありません。

人がジェンダーをどう表示するかに似て、性（セックス）も時を経て変わる可能性があります。 人は手術やホルモン療法で自分の性に変化をもたらすこともできるのです。

ジェンダーの解剖学

無限の可能性――想像力、傷
つきやすさ、聡明さ、創造性、
怒り、愛、複雑性

口ヒゲは女性にも生えるも
の。とりわけ非白人女性には。

顔および体の毛はテストステ
ロン分泌量の影響を受け、ホル
モン療法によって変えられ
る（減らすも増やすも）。ト
ランス男性はヒゲを伸ばすこ
とができるし、生物学的に男
性的な特徴の強い人々も生涯
通じて比較的体毛が薄い状態
でいることができる。シス
ジェンダー女性にもテストス
テロンはある。

声域とのどぼとけ。声域は思
春期とホルモン療法で変わる。

自然な乳房の大きさとかたち
は女性それぞれで幅広い。自
身にとって適切なジェンダー
に適合するため、不快感を緩
和するため、乳がんなどの病
気のためなど、さまざまな理
由で乳房組織を除去している
人もいる。男性にも乳房組織
があり、乳がんにかかる可能
性がある。自身のジェンダー
にもっと適合しようと豊胸手
術を受けることは、トランス
およびシスジェンダーの女性
どちらにもある。

一般に出産のための子宮を持
つ体のほうが腰幅が広い

外性器および生殖器官は常に
染色体、ホルモン、あるいは
生殖腺がどうあるかを反映し
ているとは限らない。外性器
は手術とホルモン療法で変え
られる。性器はその人のジェ
ンダーの決定要因ではない。

体毛はよく男性的な特徴であ
ると考えられているが、あら
ゆる人間（およびあらゆる哺
乳類。イルカでさえも）に体
毛がある。男性以上に体毛が
生える女性は多い。女性の体
毛を忌避するのは白人中心の
美の基準であり、より多くの
体毛が生える傾向のある有色
人種の女性たちに恥の意識を
もたらしている。

多くの男性および女性が精巣
がんもしくは卵巣がんの治療
などの医療上の理由から性腺
（内生殖器、卵巣、睾丸）を
なくしている。

インターセックス

この社会が——そして特に医師たちが——赤ちゃんの出生時に性別を（そしてそこから想定されるジェンダーを）決定するやりかたには、根本的に問題があります。新生児の性決定の敢行はこれまで厳密に女性か男性かに二分されてきました。この二元論は、今もなお、アメリカ合衆国を含む世界中のほとんどの社会で支持されています。もし赤ちゃんがインターセックスとして生まれた場合（女性または男性の体の厳密な定義から外れたかたちの生殖器および性腺の構造をしていた場合）、それは"異常"と見られ、誰かが（たいていは医師が）性別を選び、その赤ちゃんは出生時に割り当てられた性に"一致"するように手術かホルモン治療（あるいは両方）を施されるのです。これは結局のところノンバイナリーの生殖器を持って生まれた大勢の子どもたちにとっては、合意のない性別適合手術、非倫理的な性器切除、不妊手術に等しいものとなってしまいます。

性別二元論の枠にはめられるインターセックスの子どもたちは、成長と共に自分自身のジェンダー・アイデンティティを形成することを許されず、その前から他の誰かによって自分の体が何になるのかを決定されているのです。年齢を重ねるうち、彼らはそれぞれ独特の状態を理由に適切な医療を受けることができなくなるかもしれないし、最悪の場合、差別や汚名を浴び、殺されてしまう危険すらあるのです。

この問題はタブーとされており、人々はインターセックスが生まれるのは非常に稀なことだと思っていますが、実際はかなりよくあることなのです。以下に挙げるアンナ・ファウスト・スターリングその他による研究「われわれはいかに性的二型であるのか *How Sexuality Dimorphic Are We*?」からの統計は、ノンバイナリーの性的特徴がかなり幅広く、一般的に見られるものであることを示しています。

注記：これは幅広くさまざまなかたちであらわれるインターセックスのうち、ごく一部の例です。

どれだけの数の人がインターセックスとして生まれているかは常に論議されており（新生児を「インターセックス」とする際の定義は標準化されていないので）、記事や論文によって大幅に変わりますが、以下の数字は北米インターセックス協会とアメリカ心理学会が認めているものです。

総人数：

- 標準的な男性または女性の体とは異なる体を持つ人＝新生児100人に1人
- 非定型的な外性器を持つ人＝新生児1500人に1人
- 外性器の見た目を「標準化」するために手術を受ける人＝新生児2000人に1人か2人
- XX または XY の染色体を持たない人（X染色体ひとつだけを持つ女性やXXY染色体を持つ人）＝新生児1666人に1人

ナメクジの性

わたしたちはみんなナメクジを見たことがある
はずです——うっかり踏み潰してしまったこと
だってあるかもしれません。このねばねば、の
ろのろ、べちゃべちゃした貝殻を持たない陸生
軟体動物門腹足綱は、最高に流動的な性を持っ
た存在なのです。ナメクジは両性動物、すなわ
ちオスとメス両方の生殖器官を持っています。
無脊椎動物と植物には一般的なこの特徴は、ナ
メクジを進化のうえで有利にしました。ひとつ
の種のうち、あらゆる個体が他のどの個体とも
交尾できるのですから。もしそこにパートナー
がいなかった場合は、個体は自家受精できるの
です！

用語について注記：両性具有（hermaphrodite）という語は人
間に対して使用された場合、時代遅れで失礼です（インターセッ
クスが適切な語です）。しかし人間でない種についての使用は現
在も認められています。性的多型という語も両方の生殖器官を
持つ種をあらわしています。

2匹のマダラコウラナメクジ（あるいは他のナメクジ）
が自然の中でお互いを見つけると、2匹はねば
ねばして螺旋状に絡み合い、さかさまになって
精子を交換します。

性的多型が進化において秀でているのは、どち
らの個体も精子を与え受け取ることができるの
に加えて、卵子を備えているところです。ナメ
クジたちはお互いの卵子を受精させ、遺伝的差
異を生じさせつつ2倍の数の子孫を生み出すこ
とができるのです。

何らかの非常事態が発生すると、ナメクジたち
は絡まったままの状態になり、自由のために犠
牲が払われます。片方のナメクジがもう片方の
男性器を噛みちぎるのです。切断されたナメク
ジにはまだメスの生殖器があるので、幸い他の
男性器を持つ個体と交尾と生殖を続けることが
できます。

交尾の相手がいないナメクジは自身の卵子に自
身の精子で受精することができ、元気な（しかし
遺伝的差異の少ない）子が生まれます。

ちいさなナメクジを見くびってはいけません。

べからず

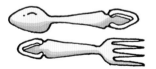

出生時の名前を尋ねる**べからず**！

褒めてない褒め言葉を言う**べからず**！
（「でもあなたの名前は素敵！」「ゲイ
にするには惜しい！」）

誰かを本人が望むのと違う代名詞で呼ぶ
べからず！　たとえ本人不在の場でも。

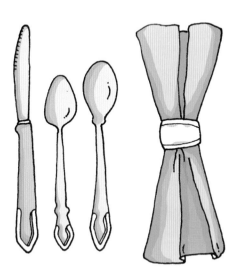

誰か他の人のジェンダーを自分の都合で
決める**べからず**！　もし受け入れ難く感
じるのなら、自分ひとりで、または友達
と、あるいはセラピーで時間をかけて理
解しましょう。

他人の体についてあれこれ言う**べから
ず**！（とりわけその人の体が変化の過程
にある場合）　それが許されるのは本人
がその話題を出した時だけです。

もしあなたがシスジェンダーで使うべき
代名詞を尋ねられた場合、それをあなた
の容姿や表現に対する悪意や脅威として
受け取る**べからず**！　それは単なる質問
で、他に含みがあるわけではありません！

意地悪な人になる**べからず**！

DO

べし

他人の変化の過程に忍耐強くつきあうべし！
誰もがそれぞれのスピードで進んでいます。

自分のジェンダーに合った、安全に感じられるトイレを選択している人々を信用するべし！ その人自身よりも自分のほうがよくわかっていると思わないこと。

PRACTICE
MAKES ~~PERFECT~~
PROGRESS

実践が完璧な
進歩をもたらす

その人のジェンダーは明白だと思っても、どの代名詞で呼ばれたいか尋ねるべし！ ジェンダー表現とアイデンティティは必ずしも一致するとは限りません！ この問題が関係ない人々がいても、それが本当に重要な人々もおり、尋ねることは、誰にでもすぐにできる、小さな、意義深いふるまいなのです。

いい人になるべし！

LGBTQ+ って実際どういう意味?

以前、LGBTQ+（lesbian, gay, bisexual, transgender, queer, +／レズビアン、ゲイ、バイセクシュアル、トランスジェンダー、クィア、その他のさまざまなセクシュアル・マイノリティを示す「+」）という頭文字を集めた言葉にはどうしてストレート（straight）のSが入っていないのかと尋ねられて、この用語はLGBTQ+コミュニティの外側の人々にはあまり理解されていないのかもしれないと気づかされました。LGBTQ+という語は、シスジェンダーおよび／あるいはストレートでない人全員を示そうとしている言葉です。もしSを含めたら、この頭字語の狙いがまるごと台無しになってしまいます！　年月を重ねてこの語は進化し、複数の文字が加えられ、また使われかたも変化してきました。

- **1950年代より前：** セクシュアル・マイノリティに関して最も一般的な記述語だったのは「ホモセクシュアル」で、これはストレートでない人は誰であろうと指す言葉として軽蔑的に使われていました。「ゲイ」は1940年代から50年代にスラングとして使われはじめました。

- **1950年代〜1960年代：** 「ホモセクシュアル」は「ホモファイル」に置き換えられました。

- **1970年代〜1980年代：** この時期、LGBTQ+コミュニティと外の世界とのあいだに加え、コミュニティの内部でも分類をどう捉えるかをめぐって衝突がありました。「レズビアン」を自認する人々が可視性を求めるため、「ホモファイル」という用語が避けられ、「ゲイ」および「レズビアン」が使われる方向に。その一方で、「クィア」

という言葉は依然として軽蔑的に使用される危険な侮辱語でした。LGBTのBとTはこの時点でまだ認識されておらず、「トランスジェンダー」と「バイセクシュアル」の人々はLGBTQ+コミュニティの内部の人々からも排斥されていました（現在もそうなってしまうことがよくあります）。「バイセクシュアル」の人々は正直ではない――かれらはオープンに、あるいは「完全に」ゲイでいることを恐れている――とみなされていました。

- **1990年代：** LGBTは包摂的な言葉として広く受け入れられました。1996年、「クィア（queer）」のQが加えられ、現在わたしたちが一般的な言葉として使っている頭字語ができあがりました。黒人の人権活動家クレオ・マナーゴが、「ゲイ」および「レズビアン」という語はヨーロッパ中心主義的だとして、それと区別されるアフリカ系アメリカ人の経験を示すものとして「SGL（Same-gender-loving／同じジェンダーを愛する）」という語を考案しました。「AGL（all-gender-loving／すべてのジェンダーを愛する）」という語もブラック・コミュニティ内で肯定的なアイデンティティを示すものとして受け入れられました。これらの語は一部で使用されていますが、アフリカ系アメリカ人の多くは、自分を「SGL」または「AGL」であるとはしていません。そうした人々は「ゲイ」という語がもともと白人に属するものだったとは考えていませんが、ゲイ・コミュニティ内部にレイシズムが存在していることは認知されるべきだと理解しています。

- **2000年代〜2010年代：** 若い世代の人々のあいだでは、自分は「クィア」であると

する傾向がますます強まっています。この語にはジェンダーとセクシュアリティの流動性を含めることができる余地があります。「クィア」が若い世代にとって最もしっくりくる語となりつつある一方で、上の世代は若い頃にこの言葉を中傷として経験してきたこともあって、少なくない数の人々が否定的な反応を見せています。「トランスジェンダー（transgender）」のTにアスタリスクが加わることもあります（「トランス*」）。そこには非シスジェンダーの人々すべてが含まれています。

この頭字語にはさまざまなバリエーションがあり、さらに文字がつけ加えられたり（インターセックスのIなど）、それらはジェンダーとセクシュアリティのアイデンティティの広がりを示す＋記号の中に含まれるものとして加えられなかったりします。特定のグループを強調したいという意図から、文字の順番を変える人々もいます。ジェンダーとセクシュアリティの領域が無限に広がっていることを示す長い頭字語も存在します。LGBTTQQIAAP（lesbian, gay, bisexual, transgender, transsexual, queer, questioning, intersex, asexual, ally, pansexual／レズビアン、ゲイ、バイセクシュアル、トランスジェンダー、トランスセクシュアル、クィア、クエスチョニング、インターセックス、アセクシュアル、アライ、パンセクシュアル）。Aに「アライ（ally）」が含められるべきか否かについては激しい議論が交わされています。なぜなら「アライ」は非ストレートおよび／あるいは非シスジェンダーを自認する人とは限らず、「クィア」の人々を支援しているということでクィア・コミュニティの傘の下に入る人を指しているからです。わたし個人としてはここに「アライ」を含めるこ

とには賛成しておらず、このように露骨に前に出されなくても「アライ」は「アライ」でいられるのがいいと思います。たとえ象徴的な喝采（頭字語に含まれること）がなくても認知され支援を受けることが、クィア・コミュニティにとって重要なのです。

もうひとつの（いちばん笑える）頭字語にQUILT-BAG（queer and questioning, undecided, intersex, lesbian, transgender and two-spirit, bisexual, asexual and ally, and gay and genderqueer／クィアとクエスチョニング、アンディサイデッド、インターセックス、レズビアン、トランスジェンダーとトゥー・スピリット、バイセクシュアル、アセクシュアルとアライ、ゲイとジェンダークィア）があります。このふたつの長い頭字語は共に、人が持ち得るあらゆる経験を包含するのは不可能だという事実を強調します。ほとんどの人はもっと短いLGBTQ+を使用し、そこにさまざまな傾向の経験が含まれているのを暗に示すことを好みます。しかしそれでも、自分はこの頭字語から排除されていると感じ続けている人々がいます。ジェンダーとセクシュアリティの理解が進化し続けるのに応じて、近い将来、また別の文字列が使われるようになる可能性もかなり高いと言えるでしょう。

ジェンダー・ロール（性役割）：わたしたちが演じるべく割り振られた役

ジェンダー・ロール（性役割）は人の行動や見た目、コミュニケーションの取りかた、態度、仕事に関して寄せられる、出生時に割り当てられた性に基づいた期待のことです。さまざまな国、文化、人種、宗教、時代を通じて、よく似通った性役割があらわれているのが確認されています。しかしながら、男らしさと女らしさ、そしてこのふたつと結びつけられる役割には、文化間にもそれぞれの文化の内部にも、さまざまな差異が見られるのです。

さておき、ここでひとつはっきりさせておきましょう。**あらゆる性役割は社会的に生まれてきたものです。** わたしたちがそれらを作ったのです。その人の性による生物学的な影響が強くあらわれるふるまい、傾向、特徴は存在しますが、しかしそれが性役割を強要する理由となることは、皆無とは言わずとも滅多にありません。

これらのジェンダーにまつわる固定観念は、女性が本当に備えている豊かな知性や力や自律性、または男性が備えている情緒的な潜在力や優しさや保護養育の資質を適切に反映していません。人間は誰しもその特徴、関心、技能、表現の複雑なスープとして存在しているにもかかわらず、社会には伝統的な性役割から外れた自由を許す余地があまりないし、期待されるふるまいから離れたい人々のためのロールモデルはあまり与えられていません。

ジェンダー・ステレオタイプは（人種、能力、社会経済的要素と並んで）、有害な男らしさ、性暴力がはびこる文化、深刻な賃金格差、男性ばかりの政府による女性の生殖権の管理、主にヘテロノー

マティヴな型にもとづいた恋愛関係およびジェンダーの描写ばかりのメディア文化の勃興を引き起こしてきました。

ゲイ男性間の関係は、ブッチとフェムの女性たちの関係と同様、特定の性役割と労働の役割分担に基づいているものと期待されます。たとえばブッチのパートナーが荒々しい性格でより強く、フェムのパートナーが感情的な重労働を担うことを期待されるといったように。「どっちがズボンを履くの？」とか「どっちがお嫁さん？」といったよくある質問がこれを端的にあらわしています──機能的な関係において、ふたりの女性のうちどちらかが男性的に近いに違いない、もしくはふたりの女性のうちどちらかが女性的に違いないと人々は推測するのです。

「いつ子どもを作るの？」は、ヘテロセクシュアルの関係においてよく聞かれがちな質問のひとつです。女性は子どもを欲しがっているものと期待され、また子どもができた時には、父親は楽しい週末か懲罰の際にだけ出てきて、母親が第一責任者として面倒を見るものと思われます。また反対に、このジェンダーにまつわる想定のせいで父親が育児休暇を取りづらく、母親はますます仕事を離れることを余儀なくされ、さらに子育てが父親不在になっているのです。そこでもし父親が最小限よりほんのちょっとだけ多く育児および／あるいは家事労働を担っていた場合には、彼は大々的に褒め称えられるのです（女性は同じことをしていてもまったく褒められないのに）。

男性上司は成功と権力を示してどっしりと構え、タフかつ厳格であることを期待されますが、

高い地位についた女性が同じ性質を示したら、偉そうだと思われてしまうことでしょう。「偉そうなクソ女」と。
ボス・ビッチ

性役割は子ども時代から適用されます。わたしたちはどのようにふるまうべきか命じられます。女の子たちはかわいく感じよく、男の子たちは泣かないように。わたしたちは自らの性役割のモデルを、周りの大人たち（親や先生たち）や、あらゆるメディアのうちに見つけ、それを模倣し、実行するよう期待されるうち、自分自身にそう

あるよう期待するに至るのです。

人間は分類が本当に大好きです。わたしたちは常に分類をしています──そうすれば物事は秩序立っていて単純だと感じられるから。あなたがどうあるべきか、あなたの見た目に基づいた周囲からの期待を打ち破るのが本当に難しいこともあるでしょう。**それは痛みを伴う、日常のつまらないことかもしれません──しかし時にそうすることは革命的行為にもなるのです。**

Digging Deeper
さらに深掘り

インターセクショナリティ

「あらゆる世代、あらゆる知的領域、あらゆる政治運動にアフリカ系アメリカ人女性たちが存在しており、ジェンダーを見つめるレンズを通して人種について考え語る必要性、もしくは人種を見つめるレンズを通してフェミニズムについて考え語る必要性について発言してきたのです」
——キンバリー・クレンショー博士

インターセクショナリティは、大学教授にして公民権運動の支持者であるキンバリー・クレンショー博士によって考案された語で、1980年代後半から使われています。この語はもともと、黒人女性の人生と、彼女たちが被っている制度的不公平が女性であることに加え黒人であることによっても引き起こされているのを研究し、それを説明するために編み出されました。クレンショーは、「この語は、ブラック・フェミニズムの考えかたが差別禁止法についても適用できることを表現するために用いられました」と述べています。

インターセクショナリティ理論は、手短に言えば、複数の権力構造がいかに相互作用を起こしてマイノリティの人生に影響を与えるかを研究するものです。それは人がそれぞれに複雑かつ多面的であること、またさまざまな要素がどのように組み合わさることで、制度的な抑圧と存在の抹消が発生するのかに注目します。**ある人の人生における経験は、そのアイデンティティの一部分だけに由来するものには決してなりません**。人はそのジェンダーだけ、あるいは人種だけによる存在ではありません。その経験は、多かれ少なかれ特権あるいは被差別経験につながる、さまざまなアイデンティティの交差する

ところにあるのです。たとえば同一の地域における年輩の黒人女性と若いラティーノ男性の経験は、まったく違うものになるでしょう。

インターセクショナリティは特定の集団においていかに周縁化された〔中心に対して端のほうに位置づけられた、軽視・無視された〕人々の存在が消されているかに注目を促します——たとえばトランス女性を含めない女性運動だったり、有色人種の人々を表に出さないHIV/AIDS運動だったり。**インターセクショナリティは抑圧を解き明かすのと同じく、最も恵まれている集団がどんな人々によって構成されているのかも明らかにします**。自分自身の特権を認知することは、時に他者が受けている抑圧を認知する以上に難しいことなので、この洞察は重要です。特権についてのより詳しい解説は、本書P136を参照のこと。

この本はインターセクショナリティを備えた視点からジェンダーを見つめ、ジェンダーという概念および経験について議論するにあたって、その人のあらゆる面を考慮に入れることがいかに重要なのかを探っていきます。

つまり、ものごとは見た目よりもずっと複雑なのです。

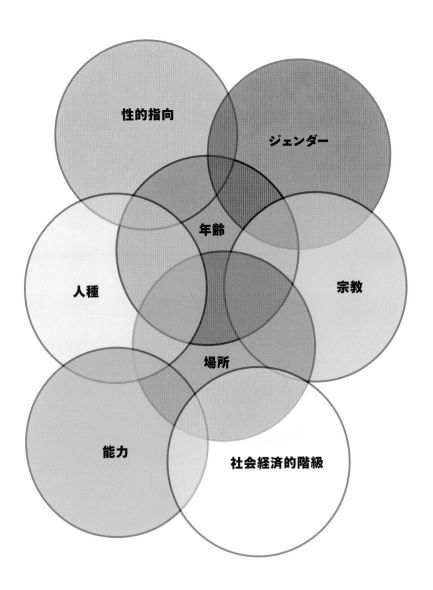

性的指向

ジェンダー

年齢

人種

宗教

場所

能力

社会経済的階級

アイデンティティの生態系は崩れ落ち ふたつに分かたれた

北アメリカの植民地化はいかに性別二元制を強制したか

「私たちは『他者化』を、集団的アイデンティティに基づいたあらゆる人間の差異を めぐる周縁性と、根強い不平等を生じさせている構造、プロセス、力学が組み合わ さったものと定義します」

——ジョン・A・パウエル、スティーヴン・メネンディアン

時間を巻き戻して。アメリカ合衆国におけるセクシズム（性差別）、ミソジニー（女性嫌悪）、レイシズム（人種差別）、クラシズム（階級差別）、エイジズム（年齢差別）、エイブリズム（身障者差別）など、あらゆる差別的なイズム（主義）を引き起こした根本的な原因について考えると、だいたいふたつが思い当たります。すなわち「他者化」と「権力」です。こうした力学の数々の原因を追求すると、植民地主義と帝国主義が「他者化」の精神を世界の多くの地域に運び入れ、それに伴ってジェンダーバイナリー（性別二元論）もやってきたのだということに気づきます。

「植民地化それ自体が、圧倒的に男性中心の帝国主義的労働力によって実行され、兵役や長距離貿易などの男性的職務によって牽引されるジェンダー化された行為でした。植民地化された社会において女性をレイプすることは、征服の一環として普通の行為だったのです。植民地国は男性によって運営される権力構造として築かれ、持続される権力を基盤にしていました。植民地社会には残忍さがあらかじめ組み込まれているのです」

——レイウィン・コンネル、オーストラリアの社会学者

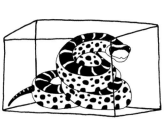

ネイティヴ・アメリカン文化のほとんどは、人間と自然界のあいだに公平な関係が結ばれた独自のシステムのうえに存在していました。植民地主義者たちは北アメリカ大陸に到着すると、そこにヒエラルキーの概念を導入し、強制したのです。つまり自然の上に人があり、非白人の上に白人があり、女性の上に男性があるという序列です。お金持ちの白人男性だけが決定権と立法の力を握るヨーロッパ式の権力の型が土着の人々に押しつけられたことで、同時に性役割も押しつけられることになったのでした。たくさんのネイティヴ・アメリカンの女性たちがスピリチュアルな事柄や統治、家族においてコミュニティ内で最高指導者の地位に就いていたにもかかわらず、彼女たちは男性に従属しているものとみなされました。

「私たちが既存の、公的に認められているカテゴリに簡単には収まらないのは、私たちのもともとの文化と関係があります……私たちの考えは西洋の知的活動を体系化するために考案されたカテゴリには合わないのです」
——ポーラ・ガン・アレン、ファースト・ネーション研究者

右ページ：アパッチ族のローゼンが北アメリカ土着の動植物に囲まれているところ。彼女はアパッチの人々を守るために闘った女闘士で、迫り来る敵たちの居場所を突き止める魔法のような能力で崇められた。

「男と同じように強く、とびぬけて勇敢で戦略に長けたローゼンは、
彼女の民にとっての盾だった」
──ヴィクトリオ、アパッチの族長

同化教育制度

「私たちの祖先およびコミュニティを苦しめてきたレジデンシャル・スクールにおける人間性の剥奪は、先住民たちのコミュニティ、とりわけトゥー・スピリットの人々に何世代にも渡って影響を及ぼしてきました。私たちの祖先の声を借りて言えば、トゥー・スピリットを罪と結びつけてその存在を抹消／否定することは、文化の圧制／植民地化なのです」
──ミシェル・キャメロン
（論文「トゥー・スピリットの先住民たち：今なお続く非先住民社会による文化の盗用
TWO-SPIRITED ABORIGINAL PEOPLE: CONTINUING CULTURAL APPROPRIATION BY NON-ABORIGINAL SOCIETY」著者）

1880年代、カナダは寄宿学校制度を導入し、先住民であるファースト・ネーションの子どもたちをキリスト教の流れを汲むヨーロッパの白人文化に同化させようと、強制的に「レジデンシャル・スクール」に通わせました。政府の狙いは、制度的な支配を実現するにあたって、子どもたちを先住民の文化から、言語、家族、地理においてできる限り引き離すことでした。子どもたちがまだ幼い頃から自分の伝統と言語から切り離された結果、若い世代は文化的にどっちつかずの状態に置かれ、自分自身の文化に再統合することもヨーロッパ中心主義文化に完全に入り込むことも難しくなってしまったのでした。

こうした学校に通うことはきわめて虐待的かつトラウマ的な経験であり、加えてほとんどの土着の文化にそれ以前は存在していなかった強力なジェンダーの二分化を招きました。カナダ女性地位向上研究所のシンディ・ハンソン所長は、

「インディアン・レジデンシャル・スクール制度は、その他の植民地主義政策と同様に（…）家族、一族、伝統的な統治制度における先住民の女性たちの権力、主体性、役割を衰えさせて奪おうと、意図的にジェンダー化されていました」と述べています。

女性は従属的にふるまう習慣を身に着け、同時に男性は家庭において主導権と決定権を握ることの多い家父長的な役割を担うようになりました。子どもたちは拡大家族およびコミュニティの中で育つのではなく、核家族構造の内側で育てられます。多くの場合、強制的な同化の過程でトゥー・スピリットのアイデンティティは失われるか損なわれるかでした。こうした偏見を持つよう教えられてきたコミュニティは、今、コミュニティ内部で男女の他のジェンダー・アイデンティティを再興させるために、学びなおしているところなのです。

トーマス・ムーア、インディアン工業学校に入学する前と後

第3のジェンダーと第4のジェンダー

ノンバイナリーおよび二分法以外のジェンダー
分類のシステムは目新しいものではありません。
第3、第4、それに第5や第6のジェンダーだって、
何千年もの歴史を通じていくつもの文化に存在
していました。ほぼすべての国にノンバイナリー
のジェンダーの人々が集団として存在していま
す。そうした人々は神聖な指導者、シャーマン、
ヒーラーとして崇められる場合もあれば、社会
のはみ出し者として排斥されている場合もあり
ます。

では、そうした多様なジェンダーの世界をざっ
と巡ってみましょう。

- **イル・フェミニエロ／イタリア**：ジェンダー
  は女性だけれどトランス女性ともゲイ男性
  とも自認しない男性を指す第3の性。あた
  たかく受け入れられ、家族に幸運をもたら
  すと言われている。

- **ムシェ／メキシコ・オアハカ州のサポテカ
  文化**：出生時に男性とされ（AMAB）（assigned
  male at birthの頭字語）、しかし他のジェンダー
  を自認する人。ムシェの人々の性役割の表
  現には大きな幅がある。ムシェは所属する
  コミュニティ内で敬意を払われ、祝福され
  ている（しかし通例、コミュニティの外では違う）。

- **マクンライ、オロアネ、カラバイ、カララ
  イ、ビッス／インドネシア**：ブギス人の5
  つのジェンダー。

- **マフ（マーフー）／ハワイ**：女性と男性両方
  の特徴を見せる人々。植民地化以前の時
  代、マフたちは司祭、ヒーラー、教師とし
  ておおいに尊敬されており、現代では——
  1世紀にわたるスティグマ〔stigma〕化され
  た時代を経て——評価を取り戻している。

  〔スティグマ：「汚名」「恥辱」「不名誉」。語源はギリシャ
  語で奴隷や犯罪者、家畜に押された「烙印」。人種、ジェ
  ンダー、年齢、階級、健康など、個人の持つある属性が一
  般とは異なっているとされ、いわゆる差別や偏見の対象
  として扱われる時、その属性および負のイメージは社会的
  スティグマ（Social stigma）となる〕

- **誓いの処女（ブルネシャ）／アルバニア**：禁
  欲を誓って男性として生きる女性たち。望
  まない結婚を避ける手段となることも多い。

- **ミノまたはダオメの女戦士／ベニン**：女戦
  士として知られるミノは、獰猛な女性たち
  の軍隊だった。西洋のレンズから見れば
  ジェンダー・ノンコンフォーミングと考え
  られるが、この人たちが自分たちをノンバ
  イナリーのジェンダーとみなしていたのか、
  それとも宗教的／専門的集団とみなしてい
  たのかは、はっきりしていない。

- **セクラタ／マダガスカル**：アンタンドロイ
  族とホヴァ族で、AMABだけれど幼い頃
  から女性として育てられた人。神聖な存在
  とみなされ、霊的な力を持つと信じられて
  いる。

- **シスターガールズ＆ブラザーボーイズ／オーストラリア・ティウィ島**：先住民コミュニティのトランスジェンダーの人々。

- **トラヴェスティ／南アメリカの大部分**：さまざまな、あるいはあらゆる面で女性的なジェンダー表現を採用するAMABの人々。

自分たちは性別二元論の外側にあると自認する多くの集団のうち、さらにいくつかを掘り下げてみましょう。

トゥー・スピリット／アメリカ合衆国、カナダ：北アメリカ先住民族の多くには、第3の性の概念があり、現在ではよく「トゥー・スピリット」の人々と呼ばれている。これらの人々が担う役割は、それぞれのコミュニティの言語、スピリチュアリティ、確立されている性役割のありかた次第で大幅に違いがある。トゥー・スピリットの人々は、両方のジェンダーの目を通して世界を見ることができ、女性的エネルギーと男性的エネルギーのバランスを取る力としてはたらいていると信じる人々もいる。トゥー・スピリットは個人の性的あるいは恋愛指向を示すものではなく、単にそのジェンダーを示しているという点に注意。

ウィーワ、ズニ族のラマナ
（トゥー・スピリット）

サリムバヴィ／マダガスカル

植民地時代のマダガスカルでジェンダー・ノンコンフォーミングの人々はサリムバヴィと呼ばれた。伝統的に女性的とされる仕事、ファッション、社会的交流などに大きな興味を示す男の子は、女性の服で育てられ、女性的な役割を担った。そのコミュニティにおいてサリムバヴィはたいへん尊敬され、超自然的な力に通じるスピリチュアルな経路のような存在として神聖な行事の数々に参加していた。サリムバヴィは1900年代前半の植民地主義者たちによる調査、特にドイツの精神医学者イヴァン・ボルチが1933年に発表した『あらゆる人種および年齢の奇妙な性行為についての文化人類学的研究 Anthropological Studies on the Strange Sexual Practices of All Races and All Ages』で描写されている。

プニン、プニンの預言の歌、カトゥーイ／タイ

プニン（「女性たち」）、プニンの預言の歌（「第2の女性」）、カトゥーイは出生時に男性に割り振られたにもかかわらず女性として生きている人々。カトゥーイは第3のジェンダーとして法的に認められているが、これを自認する非シスの人々はほとんどいない。タイはこうした人々を表面上はたいへん快く受け入れている国だが（その一因にゲイ・ツーリズム振興の狙いがある）、差別、同性愛嫌悪、トランス嫌悪は、特に大都市の外では現在もなお大きな問題になっている。同性愛の非犯罪化は1950年代に実現したものの、LGBTQ+の人々の法的な権利がはっきりと認められたり擁護されたりすることはほとんどない。反ヘイトクライム法は存在せず、同性婚は違法、トランスジェンダーとインターセックス

の人々が人権や政策をめぐる議論から取り残されてしまうこともよくある。

・古代インカ文明／ペルー

第3のジェンダーの人々（クワリワーミ）は儀式を執り行うシャーマンで、過去と現在、男性性と女性性、生と死と接続する存在だった。儀式には同性愛行為が含まれることもあった。

・ヒジュラ／インド

ヒジュラは第3の性として最もよく知られている人口のひとつ。女性の服装をするトランスジェンダー女性あるいはインターセックスの人々からなるヒジュラは、インド社会において独自の役割を担っている。しかしながら、インドのトランスジェンダーの人々のすべてがヒジュラというわけではない。宗教的な文書に見られるヒジュラの存在は、数千年前のインドの叙事詩「ラーマーヤナ」の時代までさかのぼる（紀元前500年頃）。ヒジュラはヒンズー教文化において神秘的な能力を持つ者として描かれてきたが、植民地化されて以降は、そのアイデンティティは恐れと恥を抱かせるものとなってきた。ヒジュラはからかいや暴力、排斥、搾取に直面し、ほとんどがセックスワークで暮らしを立てている。とはいうものの、インドはトランスジェンダーの人々の保護と支援のために一歩を踏み出しており、性適合医療サービスを提供したり、第3のジェンダーを法的に認めたりしている。

ラクシュミ・ナラヤン・
トリパティ、2008年に
国連でアジア太平洋地域
を代表する初のトランス
ジェンダーの人物となっ
たヒジュラ

シェイクスピア

16-17世紀のエリザベス朝のイングランドでは、女性がステージに立って芝居をすることは禁じられていました。したがってシェイクスピアの劇では、少年および大人の男性（通例まだ声が低くなっていない若いアクター）が女役を演じました。彼の作品の多くで異性装やジェンダーの撹乱が奨励されており、それが登場人物にユーモアと豊かさをもたらして、当時のジェンダー規範への反逆となっています。

コウイカ

コウイカは動物王国の中でも特に巧妙なカムフ
ラージュを見せる生きものです。4対1の割合
でメスよりオスの数のほうが多く、メスは選り
好みをするので（70%の“申込み”を断る）、交配期の
競争は熾烈です。大きなオスたちはメスの関心
を引くために、ポーズを取って派手な肌の模様
を見せます。しかし小さなオスを見くびっては
いけません。小さなオスのイカたちは自らの模
様と色を変えてメスの模様のように擬態するこ
とができ、時には卵嚢を抱えているふりすらす
るのです。そして大きなオス2匹が闘っている
あいだに、ずる賢い小さなオスは彼らの脇をこっ
そりすり抜けて、メスと交尾します。なんと肌
の模様が半々になっている状態のイカも観測さ
れています——隣にメスのイカがいる時にはそ
の側がオスの模様に、その反対側にオスのイカ
がいる時にはその側がメスの模様になるのです。

頭脳は体力に勝る。

フリーダ・カーロ（1907-1954）

「かつて私は自分が世界でいちばん変な人間だと思っていましたが、そのうち世界にはそれはたくさんの人がいるのだから、私のような人が他にもいるに違いないと思うようになりました。私が感じるのと同じように違和感をおぼえ、自分に欠陥があると感じている誰か。私は彼女のことを想像し、彼女もそこで私のことを想っているに違いないと想像したのです。ですから、もしあなたがそこでこれを読んでわかっているなら、そう、その通りなのです。私はここにいて、あなたと同じように変なのです」

——フリーダ・カーロ

フリーダ・カーロはいろいろな意味で革命的でした。彼女はさまざまなもののあいだに存在していました。ジェンダーの、セクシュアリティの、人種のあいだに。彼女は生涯を通じて、彼女自身のうちにあるリアリティと彼女の周りのリアリティの不一致の探究に取り組みました。

カーロは6歳の時にポリオにかかり（そのため生涯にわたって足を引きずることになりました）、その12年後にはバスの大事故に巻き込まれて、数ヶ月間寝たきりになったうえ回復不可能な障害が残されました。寝たきり状態だったあいだ、彼女は「私は自分自身を描く。よくひとりぼっちでいるし、私がいちばんよく知っている題材が私だから」と言って、自画像の制作に打ち込むようになりました。彼女の作品には、現在もなお対話においてタブーとして扱われてしまうことの少なくない話題、たとえば流産、異性愛規範、出産、障害などと並んで、彼女のジェンダー流動性が堂々とあらわされています。

自らをメスティーゾ（白人とラテンアメリカ先住民の混血）でバイセクシュアルであるとしたカーロは、

ファッションと絵画を通じて、標準的な社会的カテゴリの外側にある自分の存在を突き詰めました。

カーロはすぐに彼女とわかる強烈な見た目をしていました。目の覚めるような黒髪、濃い口ひげ、そしてもちろんあの有名なつながり眉毛を生やし、じっとこちらを睨みつける美しい顔。彼女は、メンズスーツから華やかに装飾が施された伝統的なメキシコのドレスまで、幅広いスタイルの服装を身につけています。

彼女とディエゴ・リベラとの、慣習に囚われることなく、また多分に有害な状態になった結婚生活では、どちらも折々に浮気をしていましたが、カーロは男性とも女性とも関係を持ちました——共産主義者のレオン・トロツキー、ジョセフィン・ベイカーのような有名な女性たち、それにディエゴの愛人たちとすら。

彼女は社会的制約の外側で生きただけでなく、その作品と人生の物語の両方でもって、他者を中間的な存在に向き合わせているのです。

フリーダ・カーロ：メキシコ生まれの画家。ポリオ
と交通事故による障害を抱えながら、自画像をはじ
めとする作品を制作し、没後にますます評価が高まっ
た。生家にして終の住処となった「青い家」は、現
在も彼女の記念館として公開されている。

生物学はジェンダーを構成しない

男性、女性、その中間およびそれらを超えたところにいる人々の違いに関して、どの程度が生物学的な要素によって決定されるものなのか、科学界でも一般社会でも議論が交わされています。そして、それぞれ互いに完全に相容れない理論や発見がいろいろと存在するのです。たとえば……

- 男性と女性は情報処理や問題解決、そして感情の経験をそれぞれ完全に異なるやりかたでおこなっており、生物学に基づいて生まれつきそれぞれの知性の領域を持っている。
- ジェンダーとセックスはあらゆる意味において生物学的要素とは結びついていない。
- 私たちの個人的および集合的なジェンダー・アイデンティティは、生物学と社会的構成概念が共に織り上げて生み出している。

「人間の脳はモザイク状かもしれないが、それは予測可能な模様をしている」
——論文「人間の脳モザイク構造が男女を分ける *PATTERNS IN THE HUMAN BRAIN MOSAIC DISCRIMINATE MALES FROM FEMALES*」、アダム・H・チェクラウド、エミリー・J・ワード、モニカ・D・ローゼンバーグ、アヴラム・J・ホームズ

わたしたちの脳は行動にどう影響を与えているかに関連して、科学的議論がさかんに交わされています。この本の身体的な性の項〔P44〕で論じられている通り、生体構造とジェンダーは分かちがたく結びついている場合もありますが、解剖学的および生物学的な性は、ある人物のジェンダーを決定するとは言えません。

脳科学もあいまいです。多くの科学的文献が、

生物学を「不変の事実」とみなして、反トランスジェンダー的なバイアスのかかった研究結果を示しています。これは人間には根本的に異なるふたつのカテゴリがあるというジェンダー本質主義に通じています。男と女、それぞれが生物学的構造によって決定される基準に沿った一連の特徴 (両者の「本質」) を持っているという見解です。研究によれば、ジェンダー本質主義を支持する科学的記事を読むと、人は偏見を強めるという結果が出ています。

あらゆる人の頭脳には男性的特徴と女性的特徴が混ざっており、それはどのジェンダーとして育てられたかに大きな影響を受けているという証拠があります。わたしたちの頭脳が示す傾向には幅があり、男性的なだけ、あるいは女性的なだけの特質を示す人はごくわずかしかおらず (0〜8%)、残りは両極のモザイク、あるいはすべてが中間で混ざっているのです。わたしたちのジェンダーはどんな育ちでもたいていの場合は生まれと同じようにあらわれるとはいえ、どのように育てられるかがどんな大人になるのかに影響していることには、疑いの余地がありません。トラウマや子育てのスタイルやロールモデルは、わたしたちが現在の自分自身をどのように考えるかに確実に影響を与えています。

「人間については、生まれた瞬間から特定のジェンダーとして育てられるという事実そのものが、脳に生物学的な影響を与えている」
——神経学者マーガレット・M・マッカーシー

性別は、薬物療法、精神疾患の治療、リプロダクティブ・ヘルス〔性と生殖に関する健康〕の進展を含む、多くの医学的および生物学的背景におい

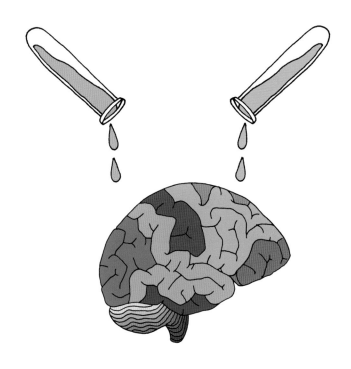

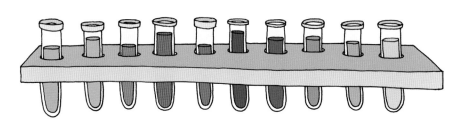

て考慮に入れられるべき、重要で必要不可欠なものです。しかしながら、わたしたちの脳機能をふたつにはっきり分かれた決定論的なカテゴリに収めようという要求は、わたしたちがどのようにふるまい、何に長けているかを決めるのに役立つやりかたではありません。

「平均的な差異について語ることばかりしていたら、誤解を招くことになります。脳は決まって男性っぽく、あるいは女性っぽくふるまう型通りのものではなく、あらゆる文脈においていつも同じようにふるまうことはないのです」
——アン・ファウスト・スターリング、ブラウン大学生物学およびジェンダー開発の名誉教授

脳みその重さにまつわる神話

1800年代には、男性の脳は女性の脳より大きいがゆえに、男性は女性より知的なのだとする科学理論が一般に信じられていました。同じ理由から、白人の人々は他のあらゆる人種の人々よりも賢い、とも信じられていたのです。

この理論を考案したポール・ブロカは、これらの生物学的差異を「証明」しました。彼は死体の頭蓋の比較研究によってデータを入手しましたが、そのデータを彼自身のセクシズムとレイシズムでもって歪めました。不幸なことに、彼は医学研究に求められる基準が確立される前の時代に、自分のデータを客観的事実であり議論の余地のない科学なのだとして提示しました。

ブロカはこう書きました。「女性の脳の小ささは、単に彼女の体の小ささに比例するものであると考えられるかもしれない。ティーデマン（ドイツの解剖学者）は、この解釈を支持している。しかしわれわれは、女性が、平均的に、男性に比べて少々知性に欠けるということを忘れてはならない。これは誇張するべきではないとはいえ、現実的な違いである。したがってわれわれは、女性の脳のサイズが比較的小さいことは、一部は彼女の肉体的劣等性、一部は知的劣等性によるものと仮定することが許されるだろう」

当然、現在では彼が完全に間違っていたことが証明されています。もう一度言いましょう。**これは科学的データではありません**。人種間に生物学的差異はなく、男女間にも知的能力の不均衡はないにもかかわらず、「科学」に支えられたブロカの理論は、2世紀にわたって社会に影響を及ぼし続けてきたのです。

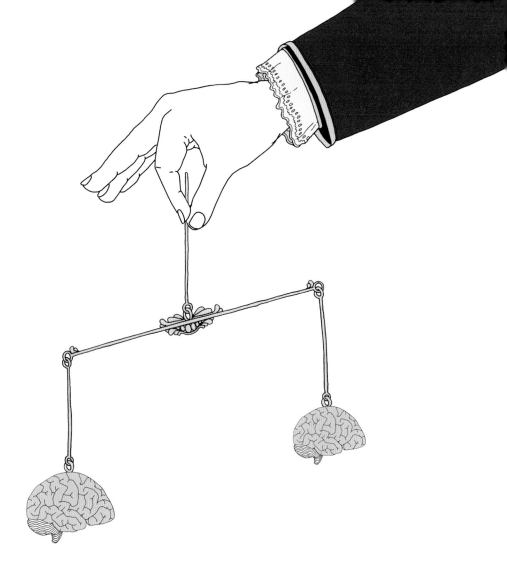

STEMの女性たち

女子が男子と平等な教育および就業の機会を得ることは、大きな構造的障害の存在によって阻まれており、特にSTEM分野（science, technology, engineering, and math／科学、技術、工学、数学）ではそれが顕著です。白人男性たちは歴史的にも現在も、ずっとSTEM分野を支配してきました。事実、女性たち、とりわけ有色人種の女性たちは、学校でSTEM教育を受けられず、子ども時代に教え込まれた期待される性役割を理由に、こうした科目を学ぶ意欲をくじかれてしまうことがよくあるのです。

出生時に女性に割り当てられる子どもたち（AFAB）〔assigned female at birthの頭字語〕はSTEMのキャリアに興味を持たないものという思い込みが存在しており、そのせいで親たちが子どもの科学的な関心の芽生えを応援しないことが少なくありません。そうして少女たちは少年たちに比べて、この分野の技能に自信を持ちづらくなってしまいます。「長い目で見て、こうしたステレオタイプが若い女性たちを、科学者やエンジニアといった知性が必要とされている仕事から遠ざけてしまっている可能性があります」と、スタンフォード大学の発達心理学研究者リン・バイアンは述べます。男の子向けとされがちな

組み立ておもちゃで遊ぶ、昆虫を探して観察する、宇宙についての本を読むなど、わたしたちはごく簡単なところから科学に関わっていくことができるはずです。

ロールモデルの不在も問題です。2012年のアメリカ国立科学財団の報告によれば、「マイノリティおよび低所得の人々が多い地域にある学校では、白人の多い裕福な地域の学校に比べて、経験が浅く、数学および科学教育を専門としていない教員が雇用される傾向にある」。女性の機会を増やすためのプログラムが導入され、STEM分野にも女性がより大きな空間を占めるようになりつつありますが、女性が男性と同等に世に出られるようになるには、やるべきことがまだまだたくさんあります。

なので、もしあなたが子育てをしているのなら、子どもたちと一緒に学び、子どもたちの好奇心を通じてこの世界を経験してください。少女たちはSTEM分野に興味がないわけでも、この分野で能力を発揮する適性がないわけでもありません——わたしたちは彼女たちを支えるシステムを作り出しさえすればいいのです。

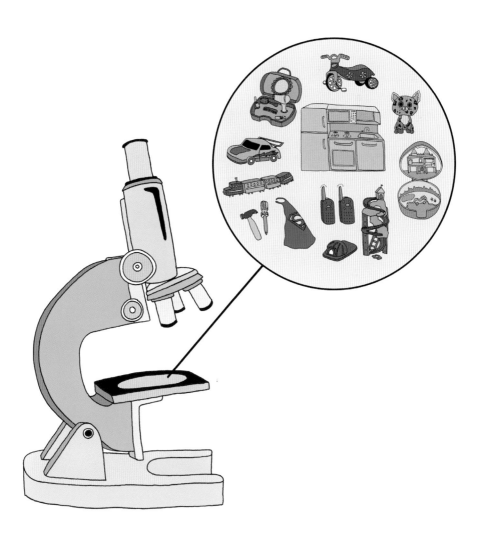

1800年代の服装

幼い子どもたちにジェンダーを強調する装いを
させることは、アメリカ合衆国においては、
20世紀前半まで文化的に標準化された習慣で
はありませんでした。それまで何世紀にもわたっ
て、6歳か7歳未満の子どもたちは白いドレス
を着ていました。これは漂白しやすく、次の子
どもにおさがりを譲りやすいという実用性から
広まったのです。男の子たちは7歳ではじめて
散髪するあたりから、ズボンとシャツに切り替
えていました。

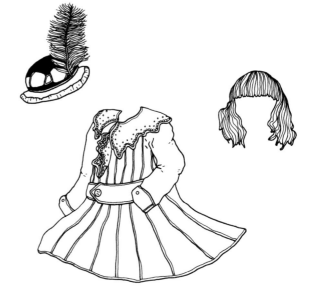

フランクリン・D・ルーズベルトの装備一式、1884年

1800年代の女性用下着のデザインは明らかに快適さを重視していない

ルイ14世とハイヒール

この服装だったら現代のドラァグ・ショーで見たことあるかも。

父の死後フランス国王として即位したルイ14世は、4歳から72年の長きにわたって国を治めました（もちろん実際には国家的な決定をおこなうのに適した年齢になってからだろうけど）。

このレースとハイヒールと長い毛皮のジャケットというファッションは、わたしたちの目には非男性的あるいは女性的に見えるかもしれません（ルイの長い髪は言うまでもなく）。しかし当時、これは王の富、権力、男らしさを誇示する装いだったのです。今日、標準的なファッションはジェンダー次第で異なりますが、1700年代のフランスでは、ファッションは主に社会階級間の差異を示すものでした。ジェンダー化された服装も存在していたものの、上流階級の貴族たち（の両方のジェンダー）だけがまとう特定の衣類、素材、美意識というものがありました。

この時代、実用性（あるいはその欠如）は富の指標でした。ルイ14世は世界中でハイヒールの人気を高めました。それも女性にではなく、男性に。彼は比較的背が低く（162.5cm）、ヒールは身長を高くすることによって、その権力をも大きく見せていたのです。ハイヒールは実用性の欠如を示していました。ヒールが高ければ高いほど、フランス社会において下層階級の仕事と

されていた単純労働をこなすのが難しくなります。ヒールの高さは着用する者の持つ富をほのめかすものだったのです。王宮の外の人々はハイヒールの着用を禁止されていましたが、王様が自分らの足下に目をやってそれに気づく（そして逮捕する）なんて起こるわけがないとわかっていた人々は、安物のハイヒールを履いていました。

上流階級の身分にある女性たちは自分が富と権力に近いことを示すために、ハイヒールを履いてファッションを男性化しはじめました。ヒールのスタイルは1700年代を通じて、男性靴の分厚くて四角いタイプと、女性靴のほっそりと先細のタイプに分岐していきました。

1800年代——啓蒙主義の時代——になってようやく、上流社会のお気に入りに実用性が戻ってきました。男性ファッションは飾り立てられた贅沢から離れ、西欧のファッションにより明白なジェンダーの区別があらわれはじめました。知性の目覚めに伴い、男性たちは学術的、実務的、芸術的な成果を追求せよと期待されるようになりました。対照的に女性たちは、従順に、感情的に、無学でいるように望まれ、それがすべてヒールの非実用性によって補強された結果、ヒールは女らしさだけに結びつけられるようになったのでした。

この人に注目：

ココ・シャネル（1883-1971）

ズボンならわたしたちみんなが履いています。しかしココ・シャネル以前はそうではなかったのです。

フランスのファッションデザイナー、ココ・シャネルはメンズウェアの要素をあらゆる人の衣服に組み入れることで、女性たちを新しい時代に連れていきました。第一次世界大戦後、シャネルは革命的なアイデアを取り入れました。彼女は保守的なコルセットからの解放をおしゃれに象徴するものとして、女性のための手頃な衣服をデザインしたのです。

1926年、シャネルは彼女なりのリトルブラックドレス〔シンプルな黒一色のワンピース〕を発表し、雑誌「ヴォーグ VOGUE」はこれを「シャネルのフォード」と呼びました。フォード社のモデルTが自動車を大衆に広めたように、彼女のドレスはあらゆる階層の女性たちの手に届くものでした。

第二次世界大戦後、布地の値段が高くなっていた頃に、シャネルはこの制約を受け入れ、型破りな実用性のうえに自らのブランドを築き上げました。黒は喪服の領域から引き上げられ、コスチュームジュエリーは比較的安価に女らしさ

を維持する手段としてよりシンプルな服と組み合わせられ、スーツは戦後の職場に進出する女性たちに男性的な力を呼び起こしました。当時はそれがスキャンダラスなことだったにもかかわらず、快適で実用的なズボンが女性のための服に導入されました。

着心地のいい布、シンプルなシルエット、ブランド香水、コスチュームジュエリー、リトルブラックドレスといった今日のファッションの重要な要素は、すべてシャネルが創り出したものです。シャネルの業績はファッション界に受け継がれた遺産ですが、彼女は自分がかたちづくった女性の装いを完全に気に入っていたわけではなかったようです。86歳の時、「私は（ズボンを）つつましさから思いつきました。それが実用性からファッションへと変わったことで、女性の70％が夜のディナーの際にもズボンを着用しているというのは、まったくもって嘆かわしいことです」と述べました。

わたしの意見では、女性の70％がディナーの席でズボンを履いているというのはまったく悲しいことではありません。ズボンをディナーに履いていくという選択肢がないほうが、ずっと悲しいことです。

ココ・シャネル：フランスのファッションデザイナー。20世紀のファッションビジネスの基盤を築く大成功を収めた一方で、第二次大戦期にドイツの諜報活動に協力的な姿勢を取っていたことが批判されている。

ピンクは男の子の色、ブルーは女の子の色

第二次世界大戦は色の歴史におけるターニングポイントでした。それまでは、ピンクはやや男っぽいユニセックスな色でした。ピンクは、血、戦争、強さを象徴する赤から引き出された色です。ブルー（通例、明るいブルー）は女の子の服の色で、優しさ、上品さ、受動性を想起させるものでした。

業界紙「アーンショーズ・インファンツ・デパートメント *Earnshaw's Infants' Department*」1918年6月号の記事には、「一般に受け入れられているルールでは、ピンクは男の子用、ブルーは女の子用。ピンクは強い色なので、男の子に適しています。一方、ブルーは繊細で上品で、かわいらしく女の子に合っています」と記されています。戦争が終わると、男性は労働者や実業家としての地位を取り戻すべく戻ってきて、力を象徴する色にブルーを採用しました。女性たちは職場から追いやられ、ピンクを連れて家庭に戻りました。

子どもたちはとても幼い頃から、伝統的な性役割を担う準備をさせるようなおもちゃや衣服を与えられます。女の子はティアラに加え、ドレスからビキニまで、ピンク色のあらゆる服を与えられます。彼女たちはメイク道具、お人形、おもちゃのキッチンを手に入れ、ショッピングモールは彼女たちに母性、美の基準、家庭への愛着をめぐるメッセージを流し込みます。その一方で、男の子たちはトラック、飛行機、恐竜の模様のブルーの衣服を与えられ、車、銃、ブロック、列車、プラスチックの道具で遊びます。彼らは実際的な労働や工学、物事の仕組みを理解すること、加えて悲しいことに暴力にも価値を置くよう教え込まれるのです。

ジェンダー化されたモノと子ども時代に結ぶ関係、空想遊び、ごっこ遊びのなかの性役割（たとえば、おままごとVS警察と泥棒ごっこ）は、自己受容と性役割期待に深い影響を与えます。子どもたちは自分の周りにいる大人たちに見られる役割を真似する遊びに携わり、ジェンダー規範を強制するマーケティング戦略の影響を受けます。

男の子たちはピンクに近寄らないように教えられますが、自然にピンクに嫌悪感を抱くわけではありません。女の子たちは一般的な美の基準によって自らを評価するよう教えられますが、汚れに遺伝的嫌悪感を持っているわけではありません。何を好きであるべきかを提案するのではなく、子ども自身に自分はありのままで何が好きなのかを決めさせれば、より大きな自信、技能、そして平等を尊ぶ感性をもって、この複雑なジェンダーの世界を進むことができる世代が生まれていくことでしょう。

自分自身の中に女らしさを見出し、
感情的に、傷つきやすく、愛情に溢れていることが、
男を男らしくなくさせはしない。

権力と強さは等しいものではない。

男の子は男の子
いかに有害な男らしさが男性集団をかたちづくっているか

「有害な男らしさ」という語は、セクシュアル・ハラスメント事件の数々が国民的な大問題として白日の下に晒されるようになった流れに乗って、ふたたび公的な場で引き合いに出されるようになりました。有害な男らしさは、男性たちが感情を抑圧し、繊細さよりも怒りをもって気持ちを表現し、男性同士でも女性やその他のジェンダーに対しても、自分の優位性を見せることで自らのジェンダー・アイデンティティを示そうとする力学を言いあらわした言葉です。「男らしさとはこういうものだ」という誤った社会的発想が、セクシュアル・ハラスメント、ドメスティック・バイオレンスおよび性暴力、ミソジニー、同性愛嫌悪、薬物乱用といった有害な行動に結びつきます。**はっきりさせておきましょう。有害な男らしさは男らしさとは違います。**男らしさが害を及ぼす悪いかたちで表現される時、それは有害な男らしさになります。とはいえ、これは男らしいふるまいを見せる男性がみんな有害な男らしさに染まっているとい

う意味ではありません。

この言葉の語源は意外にも、1990年代のミソポエティック男性運動にあります。この運動は、現代の男性たちは産業革命によって真の男らしさの一部を剥ぎ取られてしまっているので、「深い男らしさ」の感覚を取り戻す必要があると主張するものでした。このグループによれば、男性が男らしさを失ったのは、女性にまつわることに時間を使いすぎ、フェミニストに性差別を(彼らの頭の中では)不当に告発され、競争的でない男同士の絆を深める時間を持てず、感情表現を押さえつけられていることの直接的な結果なのだそうです。「有害な男らしさ」という概念が、最初は男性のふるまいが女性やその他のジェンダーに及ぼす有害な影響をさしおいて、社会が男性に及ぼす有害な影響(と彼らに受け止められたもの)にまつわるものだったというのは、すごく皮肉な話ですよね。

アノーニ

「どんな人の内面にも男性性と女性性が広がっています。あらゆる個人の内面でミソジニーの戦争が荒れ狂っています。男性は自分の中の女らしさを抑圧して、男性的な価値観を支配的な価値観として持ち上げています。なぜなら、女性と同じく、そうするように教えられてきたから。ミソジニーは女性だけに影響するものではありません。男性にも影響しています」
——アノーニ

アノーニ、かつてアントニー・アンド・ザ・ジョンソンズ（マーシャ・P・ジョンソンに敬意を表したバンド名）のアントニー・ヘガティとして知られていた彼女は、ジャンルの型にはまらない独創的な音楽に加え、ジェンダーと環境問題、そしてそのふたつの関係について遠慮なく発言する姿勢でも知られているトランスジェンダーのシンガーでミュージシャンです。

名声とアイデンティティは密接に結びついており、そこには人々に既に知られ賞賛されているアイデンティティを維持せよという激しいプレッシャーが生まれます。人が私的および公的なジェンダー・アイデンティティを変更するのは、勇敢で途方もない作業です。とりわけその人の名前と存在が世界に知られている場合には。アノーニにはアントニー・アンド・ザ・ジョンソンズとしての20年近いキャリアがありました。彼女はアノーニの名前でのファースト・アルバムを2015年に発表しました。それはプロフェッショナルの音楽人としての新しいアイデンティティでしたが、彼女は私生活ではかなり前からこの名前を使っていました。「ある人を本人が選択したジェンダーで呼ぶことは、その人の精神、人生、仕事に敬意を表することなのです」と彼女は述べています。

好むと好まざるとにかかわらず、わたしたちは有名人から合図を受け取ります——自分たちと他の人々に何が期待されるのか、そして何が文化的に受け入れられるのかについての合図です。アノーニがアイデンティティを変えるのを見ることは重要です。彼女は、人間のアイデンティティは名声を理由に隠されるべきではないのだという輝ける事例を示しています。そして事実、公的なスポットライトを浴びながらアイデンティティを変化させてゆく彼女の能力は、アイデンティティは育ってゆくものであるという事実を可視化しているのです。

アノーニ：1971年生まれ、イギリス・チチェスター出身のミュージシャン。大学で実験演劇を専攻したのち、1995年にアントニー・アンド・ザ・ジョンソンズを始動。アルバム『クライング・ライト』のジャケットに日本の舞踏家・大野一雄の写真を用い、来日公演の際にはその実子の大野慶人と共演している。

家父長制

メリアム・ウェブスター辞典によれば、家父長制は「父親が一族または家族を統率し、妻と子は法の上で従属的な地位に置かれ、相続権は男系にあるとされることが特徴の社会組織」と定義されています。今日、この言葉は男性（特にストレートの白人男性）が権力構造において最高位の階層を占め、（すべてとまでは言わずとも）ほとんどの権力を握り、ストレートの白人男性でない人々を抑圧する社会または統治体制を説明するものとして広く使われています。家父長制の影響は、単にCEOや大統領が企業や国に実際的な権力を振るうというだけでなく、むしろもっと抽象的かつ微妙なかたちでもあらわれます。

わたしたちは家父長制をミクロ的にもマクロ的にも経験します。

ミクロ：

- たぶんあなたはお父さんの姓を名乗っている。
- もし男性と結婚したら、彼の姓を名乗ることになりそうだ。
- たいてい男性は家庭において子育てをしないほうだ。
- 男性の同僚はあなたを遮って発言する。

マクロ：

- 歴史的に世界のリーダーはほとんど男性ばかりだった。2018年の時点で、国会議員に男性より女性が多い国は3つしかない。
- 女の子よりも男の子が欲しいという理由での性別選好による中絶がおこなわれていたし、現在もおこなわれている（特に中国のひとりっ子政策時代）。
- 中絶の合法性が（男ばかりの）政府によって決められている。
- 歴史のほとんどは男性によって書かれてきたし、今もそうだ。歴史は「彼の物語（History）」。

表面上、家父長制のもとで苦しんでいるのは女性だけに見えるかもしれません。そして、女性が男性よりも余計に苦しんでいるのは確かではあるものの（「もっと笑って」と言われたことは？　それも家父長制の要求です）、家父長制はすべての人に影響を与え、危険な抑圧のサイクルを生み出しています。家父長制社会は男性に、攻撃性、支配性、強さといった男らしさと関連づけられるあらゆる特徴を体現するよう要求します。男たちは男になるために権力を握らねばならず、そうしてジェンダー化された抑圧のサイクルは続いていきます。皮肉なことに、このサイクルはそれほど男性のためにもなっていません。家父長制は硬直したジェンダーの区別を強制します。そこで然るべき男性に成長する然るべき男の子でいるには、たったひとつの道しかありません。そうしてピンクを着るのが好きだったり、泣いたり、スポーツが好きではなかったりする若い男の子たちが恥ずかしい思いをさせられています。硬直した家父長制のもとで育てられた男性は、ほぼ確実に、多かれ少なかれ有害な男らしさに晒され、そして／あるいはそれを継承して永続化させることになるのです。

家父長制は実質的に男たちを権力の座に就かせるものの、彼らに精神的な欠損を感じさせもします。あらゆる抑圧的な力学において、抑圧す

る者にいかにして抑圧的でなくなるべきかを教えるのは、抑圧された者（この場合、女性または非シスの男性）の仕事ではありません。とはいえ、（自らの経験を通じて）家父長制の悪影響について最もよく知っているのは周縁化された人々なので、そうした人々が抑圧に異議申し立てをするはめになるのです。「感情的なジェンダー」とみなされている女性たちは、しょっちゅう感情労働として男性のためにこの仕事を引き受けています。自分の気持ちと周りの人々との折り合いをつけるために感情的なエネルギーを使うのは消耗するものです。それは家庭においては子どもの世話、膨大な家族の義務の統率、人間関係についての対話をはじめる役割といったかたちで発生します。こうした労働はたいてい認知されず、感謝されず、正当な報酬は支払われません。

伝統的に女性が就く職のほとんどは、看護師、サービス業、ソーシャルワーカー／セラピスト、デイケア、教師など、感情労働を基盤としています。しかし、感情労働の要請は、女性たちが人間関係のメンテナンスをして「船を浮かばせ続ける〔破綻させずにやりくりする〕」ことを期待される職場なら、どこであろうと起こり得るのです。

何千年も続いてきた男性支配の構造は、もっと平等な社会を作るために変わらねばなりません。以下は男性たちが家父長制と闘うために、男性の立場からできることです。

1. **たとえあなたが意図的に悪いことなんて何もしていないとしても、自分自身も問題の一部であることを認めましょう。**たとえ自

分が直接的にその恩恵を受けているとは感じられなくても、自分には特権があるのだと認めましょう。わたしたちは自らの特権を選んだわけではなくても、まずそれがあることに気づかなければなりません。それから自分が他者に与える影響を理解できるようになるでしょう。

2. **女性、トランスの人々、ジェンダークィアの人々、子どもたちに耳を傾けましょう。** あなたの意見が本質的に他の人々の意見より知的だったり、より独創的だったり、より重要だったりすることはありません——あなたは大きなメガフォンとより大きな観衆を与えられてきただけです。グループの一員でいる時は、話すより聞くことを心がけましょう。自分が人の話に割り込んでいないか、もしそうしていたら、誰の話に割り込んでいるかに気づきましょう。

3. **感情的になっても問題ないというだけでなく、それは健康的で良いことなのだと子どもたちに教えましょう。** 子どもにとって時に現実は悲しく厳しいものです——そんな時は泣いてもいいんです！ ジェンダーは幅広い可能性のスペクトラムであり、それを表現するやりかたは一種類しかないわけではないと教えましょう。子どもたちを、耳を傾ける価値のある考えを持った賢く大切な人々として扱いましょう。

4. **自分の感情とうまくつきあう方法を学ぶためにはセラピーに行き、感情労働を公正に分担しましょう。** もしセラピーを利用でき

ない場合は、男性でない友達にどうすればいいのか相談する前に男性の友達に話しましょう。あなたが抑圧している人々には、あなたが抑圧的でなくなるよう教える義務はないということを忘れずに。

5. **男性の友達、家族、同僚が性差別、人種差別、同性愛嫌悪、身障者差別、年齢差別をしていた際には異議申し立てをしましょう。** 侮辱的な言動をしている人を非難するのは、時に気まずく怖いものですが、あなた自身とあなたのコミュニティが侮辱的で有害なふるまいに責任を負うことは、ものすごく大事なことです。

6. **セクシュアル・ハラスメントのほのめかし、当てこすり、討論を大目に見る必要はありません。** 暴力についての「ロッカールームの話」にも。マジで。

7. **賃金格差の結果、あなたが1ドルにつき33セント女性より多く稼いでいる分を上乗せして以下の活動をする団体に寄付しましょう。** 女性、クィアの人々、トランスの人々、レイプクライシスセンター、DVシェルター、女子のためのSTEM教育プログラムの支援、そして地元の困窮している人々のための小さな資金集め。

8. **女性のために姿を見せよう。** 集会に参加したりイベントのボランティアをしたり、あなたの時間、技能、地位を提供して、あなたの周りにいるけれどあなたが近づける人々に近づけない人々がメッセージを広く

届けるのを応援しましょう。

9. **インターセクショナリティが家父長制にお
   いてどんな役割を果たしているのかについ
   て考えましょう。**たとえば、あなたは職に
   就いている？　あなたは白人？　その仕事
   は有色人種の人と競って採用された？　そ
   の仕事をあなたと同じ資格要件を満たした
   女性か有色人種の男性かクィアの人に譲る
   としたら？　そうした人々に上司がちゃん
   と自分に支払っているのと同じだけ支払う
   か確認してみては？　家父長制の内側であ
   なたの人種はあなたの地位にどんな影響を
   与えている？　あなたの社会階級は？　あ
   なたのセクシュアリティは？

10. **自分で学んでいきましょう。**たとえば参考
    資料リストは本書P200。

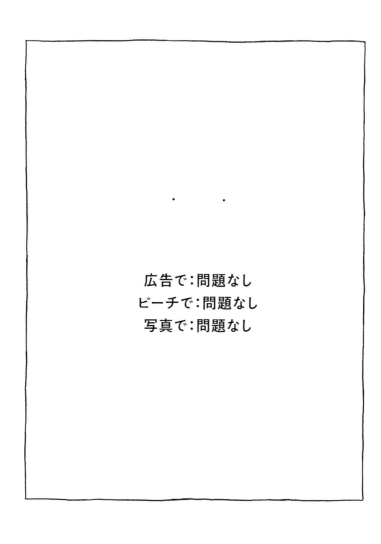

広告で：問題なし
ビーチで：問題なし
写真で：問題なし

広告で：問題あり
ビーチで：問題あり
写真で：問題あり

ライオン

ボツワナ共和国のオカバンゴ・デルタ地域にあるモレミ動物保護区のモモボ地区には、唸り声をあげ、たてがみを生やし、時にはオスのような交尾行動をするメスのライオンがいます。これは、この地域の個体群の遺伝形質によってテストステロンが増加した結果である可能性が高いとみられています。この説は、たてがみのあるメスのライオンがどうやら妊娠しないらしいことから証明されています（交尾しているのが観察されますが、決して妊娠することがないのです）。

これらのメスライオンたちはよそものたちを欺き、捕食者や競争相手から己のプライドを守ります。

スポーツ

スポーツには、人種またはジェンダー、もしくはその両方を理由とした差別の長い歴史があります。融和が進み、以前よりは多様なジェンダーの選手が登場してきたとはいえ、スポーツ界の人々（あるいはそれを目指す人々）のあいだで平等が実現されるまでには、まだまだ大きな跳躍が必要です。

アスリート、特にそのうち主に女性を自認している人々にとって大問題のひとつとなっているのが「性別確認」です。これは、選手の体、解剖学的構造、染色体、ホルモンを検査して、参加している競技部門の性に属していることを証明するための手続きです。

性別確認は1950年に国際陸上競技連盟（IAAF）によって導入され、これに続いて1968年には国際オリンピック委員会（IOC）の大会でも実施されるようになりました。この検査は最初「ヌード・パレード」という形式でおこなわれ、まさに文字通りのものでした。男性アスリートが不正なアドバンテージを得るために女性として競技に参加しているのではないと証明するために、女性のアスリートたちは全裸の姿を医師に見せなければなりませんでした。

この検証過程は1968年、染色体検査の使用へと進化しました。この本のインターセックスの人々についての項（P46）で説明されている通り、染色体は、その人のジェンダー・アイデンティティ、外見上の解剖学的構造、第二次性徴、または見た目の表現とは異なる可能性があります。染色体検査をその人のジェンダー／性別を決定する方法として使用することは、不備があるだけでなく、きわめて侵襲的で、差別的で、名誉を傷つける行為です。

国際陸上競技連盟（IAAF）は1992年に公式の性別確認をやめ、1999年にはIOCも禁止しましたが、信じられないほど硬直した性別二元論に基づく「疑惑ベース」の検査が、現在も認められています。トランスジェンダーの選手は競技に参加することを認められていますが、正式な法的文書を取得していることに加え、「指定の性別に適した」性別適合手術とホルモン療法を受けていることが条件になっています。

現在、こうした検査は、競技者にアンドロゲン過剰症があるかどうかを見るホルモン検査、すなわちテストステロン値が女性としては高い状態にあるか否かを判断するかたちで実施されています。アンドロゲン過剰症は競技者の運動能力を高め、したがって不正なアドバンテージを与えるものとみられています。ジェンダー・アイデンティティは当人が選ぶものであり、アンドロゲン過剰症自体が人のジェンダー・アイデンティティを変えさせることはありません——それは医師や競技会の運営委員会が決定することではないのです。「サイエンティフィック・アメリカン *Scientific American*」誌によれば、男性選手でも「典型的な女性の範囲」にあたるテストステロン値を持つ人が全体のおよそ2%います。

IOCのルールでは：

- 男性はまったく検査されない。
- 男性の競技会に出場するトランスジェンダー男性は検査を受けない。
- トランスジェンダー女性は検査を受ける必要があり、テストステロン値が一定の数字に収まる場合にのみ、女性の競技への参加が認められる。

以下はこうした差別的な慣行の影響を受けているアスリートの一部です。

- **オランダのフォケ・ディレマ**。陸上界を追放された理由については、1950年に検査を拒否したからとか、または検査結果のせいであるとか、諸説あるが詳細は明らかにされていない。いずれにしても、彼女のキャリアが終わった理由には性別検査があった。
- **ポーランドのエヴァ・クウオブコフスカ**。1967年、染色体がXX/XXYであることを理由に、オリンピックやプロスポーツ界から追放された。
- **アメリカ合衆国のレニー・リチャーズ**。1976年の全米オープンで、染色体検査を受けずに女子として出場することを拒否された後、米国テニス協会を訴えた（そして勝訴した）トランスジェンダー女性。
- **スペインのマリア・ホセ・マルティネス゠パティーニョ**。1986年、染色体検査の結果を理由に国際陸上競技連盟から競技への参加を禁じられた。彼女はこの裁定を不服として闘い、後に再び出場を許された。この事件をきっかけに、性別確認によってもたらされる害について社会の認識が高まった。
- **インドのプラティマ・ガオンカール**。2010年、性別確認検査を通過しなかったことで公に辱めを受けたのち、自ら命を絶った。
- **インドのデュティ・チャンド**。アンドロゲン過剰症であることが判明し、2014年のコモンウェルス・ゲームズ〔イギリス連邦に属する国および地域が参加し、4年ごとに開催される国際競技大会〕から追放された。後に裁判で争い、女性として競技に出場する権利が認められた。その結果IOCは今後テストステロン値の基準を女性に強制しないと発表した。

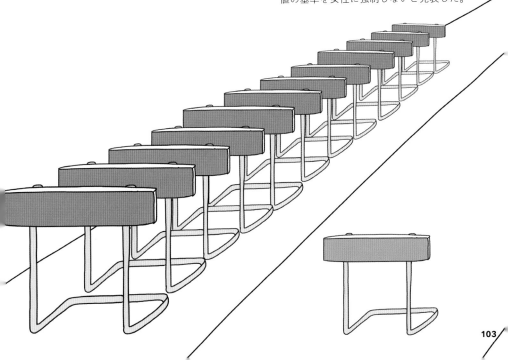

セリーナ・ウィリアムズ
スポーツ、人種、ジェンダーの交差に

プロスポーツの世界でさえも、女性たちは社会が女性に求める性質、すなわち細さ、女らしさ、繊細さを備え、攻撃的にならないことを期待されています。

セリーナ・ウィリアムズはいろいろな意味でスポーツと人種とジェンダーの交差するところを象徴しており、アイデンティティに含まれるさまざまな矛盾を示す存在です。彼女はテニスというきわめて白人的なスポーツにおいて、黒人女性として途方もない成功を収めてきました。信じられないほどすごい成績を出しているにもかかわらず（女子テニス協会による世界ランキングでは2002年から2017年までのあいだに8回にわたって1位になっています）、彼女を素晴らしいアスリートにさせている個性、すなわち筋肉質な肉体（および彼女の装い）、強さ、そして主張が激しく絶対にナメた真似はさせない態度は、しょっちゅう批判の対象となってきました。そうした事件の多くは、アメリカ合衆国において黒人の体、とりわけ女性の体が、公然にも巧妙にも性的に扱われ、客体化され、悪魔化され、非難されてきたことと深く結びついています。

2018年9月、ウィリアムズは試合中にコーチから指示を受ける不正行為があったとされました。その後、彼女は自分のラケットを叩き壊し、1ポイントのペナルティを課されました。ウィリアムズが審判を「泥棒」と呼ぶと、審判はゲームペナルティを取り、対戦相手を優位に立たせました。彼女は後に「不正行為」、「（審判への）言葉による虐待」、およびラケットの破壊に対して17000ドルの罰金を課されました。癲癇を起こし、ラケットを破壊し、叫ぶ男性選手がペナルティを取られることはめったにありません

し、取られても処分はこんなに厳しくありません。この事件の直後、ウィリアムズは怒れる黒人女性として人種差別的に特徴を誇張されて風刺漫画に描かれました。奴隷制の時代から存在する、人種差別的であると同時に深く性差別的でもある表現です。彼女は現場の審判が主張した通り、叫んで癲癇を起こしているように描かれています。彼女は「私はここで女性の権利と平等のために闘っています……私が『泥棒』と口にし彼がゲームペナルティを取ったのは、性差別だと感じました。彼は『泥棒』と言った男性からゲームペナルティを取ったことはありません」と語って、自らの行動を擁護しました。

2017年、ウィリアムズは妊娠中にヌードでポーズを取って、「ヴァニティ・フェア Vanity Fair」誌の表紙を飾りました。賞賛を浴びてきた人らしい気品と自信に満ちた写真です。ファッション誌の表紙で、彼女は美しい曲線を見せてい

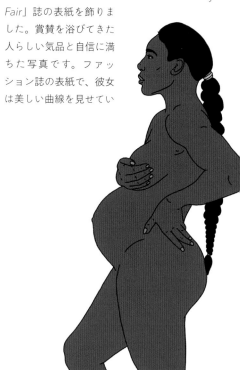

ました。しかし2018年8月、セリーナは黒のキャットスーツ（すごくぴったりしたスパンデックスのオールインワン）を着用して、フランス・テニス連盟のベルナール・ジウディセリ会長から非難を浴びました。ジウディセリは「試合と場所を尊重するべきだ」と主張しました。

なんですって？

女子テニスのプロの試合を見たことがある人は、選手の装いが決しておしとやかではないことをご存知でしょう。丈の短いスコートの下にアンダースコートを履き、ぴっちりしたタンクトップを着用するのが一般的です。ウィリアムズはコートでもコートの外でも、大胆で女性的、そしてファッション性が高い装いで知られています。このキャットスーツは腕以外の全身を覆っていましたから、ここで問題とされているのは服そのものではなく、誰がそれを着ているかなのではないかと考えずにはいられません。セリーナのしている格好ではなく、彼女の体──強く、美しく、帝王切開で1年前に出産したばかりの黒人女性の体──が彼の気に障っているだけではないか、と。このキャットスーツはおしゃれで実用性に優れているだ

けでなく、医学的にもウィリアムズのためになるものでした。出産後、血栓の問題を抱えていた彼女にとって、ぴったりフィットするタイツは血栓が生じるのを防ぎ、コートに戻ってくる助けになりました。スーツについて尋ねられたウィリアムズはこう言いました。「あれを着ていると戦士のような気分になります。闘うプリンセス……もしかしたらワカンダ〔マーベル社のヒーロー・コミック『ブラックパンサー』などに登場するアフリカの架空の国〕の……私はいつだってスーパーヒーローになりたいと思っていたし、あれはスーパーヒーローでいるための私なりの手段のようなものなんです」

つまりフランス・テニス連盟が言っているのは、「否、われわれは君に自分が強く、力を持ち、健康的で、無敵だと感じてほしくないし、われわれの気分を良くさせてほしいのだ」、ということです。人々はウィリアムズの人種と性別を理由に、彼女の体を男性的だと言って公然と非難してきただけでなく、その技能や集中力やテニスに捧げた生涯を認めず、その成功をただ単に彼女の体によるものだと決めつけ、彼女が受け取るに値する尊敬を否定してきました。そう、彼女の体は彼女の力ですが、テニスの技能もまた彼女の力なのです。

ウィリアムズは「ああ神様、私は絶対にサイズ4〔日本の7号、Sサイズに相当〕になんてならない！なんで私がそうなりたいと思うわけ？……これが私、これが私の武器でありマシンなのだから」と語りました。

ホワイト・フェミニズム

「(『新しい女性の創造』で、ベティ・フリーダンは)もし彼女のような女性が家事労働から解放され、白人男性と同じように就労できるようになったとして、その時、子どもの世話をしたり家庭を維持したりするために誰が呼ばれるのかについては議論しませんでした。彼女は、男のいない女、子どものいない女、家庭を持たない女が必要としていることについては語ろうとしませんでした。彼女はすべての非白人女性と貧しい白人女性の存在を無視していました(…)実際のところ"女らしさの神話"の型のうえでアイデンティティを築くことができたのは、余暇とお金を持っている女性だけだったのです」
──ベル・フックス、『フェミニズム理論:周辺から中心へ』

ホワイト・フェミニズムは、主に白人女性に影響のある問題に取り組みながら、白人特権の問題を考慮していないフェミニズム運動を指して使われる広義の語です。これはわかりにくいものから露骨なものまで、小さなものから大きなものまで、さまざまなかたちであらわれます。第二波フェミニズムは1960年代の運動で、戦後のアメリカ合衆国における家庭内での女性の役割の変化に応じて生まれてきたものです。ベティ・フリーダン、グロリア・スタイネム、シモーヌ・ド・ボーヴォワールなどの白人の作家や思想家たちが、フェミニズム運動を公に代表する顔となり、職場、不平等、性の自由の問題に取り組みましたが、人種、階級、セクシュアリティをめぐるインターセクショナリティのことは無視されていました。しかし、ベル・フックスのような作家や活動家たちが、有色人種の女性による新しい声をもたらし、黒人女性の苦闘に光を当てました。

今日でもなおフェミニズムに関しては、白人女性たちのほうが非白人のフェミニストたちよりも広く容易に称賛を集めがちです。彼女たちの

一部は、たとえばTERF(trans-exclusionary radical feminist/トランス排除的ラディカルフェミニスト)などジェンダー平等について誤った感覚を持っていたり、公然と人種差別的または階級差別的視点を採用したりと、自分自身の外側の視点を含めることに関して失敗を重ねてきたにもかかわらずです。ホワイト・フェミニズムの原則には公平性についての有意義な信条が含まれている一方で、彼女たちには複雑性や多様な視点が欠けているのです。

わたしたちは進歩に勢いづいている時代におり、白人リベラル層は「目覚めた人」でいることを自ら楽しんでいる一方で、同時に解放運動を立ち上げ、継続し、率いてきた大勢の人々のことを無視しています。多くの場合、最も周縁化され抑圧されてきた人々のグループ──黒人の女性と男性、先住民族、移民、イスラム教コミュニティ、トランス女性、身体障害者、セックスワーカー、ジェンダークィアの人々、農村部の人々など──は、同性婚、ワシントンのウィメンズ・マーチ、AIDS研究の前進などの達成を祝う場で、重要であるにもかかわらずその存在

を消されてしまっていることが多いのです。こうした歴史的な事件、メディア表象、そして／あるいは功績への称賛が、「成功の顔」となる白人に与えられ、その実現に貢献した称賛に値する非白人の人々が抹消されてしまうことを「ホワイトウォッシング」といいます。

アメリカの歴史は全体として、白人男性（後に女性）の視点から見た一方的な物語であり、社会政治的運動に貢献してきた有色人種の女性たちには、その驚くべき仕事に対して当然の評価と認知が与えられていないことがしばしばです。**要するに、構造的・日常的な抑圧に直面している人のほうが、それを解体するために積極的に動いている可能性がずっと高い**ということです。結局のところ、他者の抑圧から利益を得ている人々は、自分たちに権力、お金、自由、資源の支配権をもたらしている制度を変えようとする動機を（基本的な良識と公平性を求める願望の他には）持っていないのです。

黒人女性たちは
抵抗運動を支える背骨である

ここに挙げるのは1800年代以降、解放、人権、自由のために闘ってきたすごい女性たちの一部です。

アリシア・ガーザ、パトリッセ・カーン＝カラーズ、オパール・トメティ：ブラック・ライヴズ・マター〔黒人に対する差別の撤廃を訴える運動〕を呼び掛け、同名のネットワークを共同で組織した人々。

アンジェラ・デイヴィス：作家、教授、刑務所廃止論者、クリティカル・レジスタンス〔産獄複合体の解体を目指す草の根組織〕の共同設立者。

アサータ・シャクール：黒人解放軍のメンバー。

オードリ・ロード：作家、司書、公民権運動家。

ベッシー・コールマン：アメリカ合衆国初の黒人・アメリカ先住民パイロット。

クローデット・コルヴィン：公民権運動の先駆者。ローザ・パークスよりも9ヶ月前にバスの座席を譲ることを拒否して逮捕された。

コレッタ・スコット・キング：公民権運動家。

ダイアン・ナッシュ：公民権運動家、公民権運動の学生組織の指導者・戦略家。

ドロシー・ハイト博士：教育者、黒人コミュニティの女性問題に取り組んだ公民権運動家。

エレイン・ブラウン：元ブラックパンサー委員長、刑務所活動家、歌手、作家。

エラ・ベイカー：人権・公民権運動家、学生非暴力調整委員会（SNCC）の主要顧問。

ファニー・ルー・ヘイマー：投票権および公民権運動家、自由民主党の副議長、全米女性政治委員会の共同設立者。

フロ・ケネディ：弁護士、公民権運動家、よくカウボーイハットをかぶっていた。

ハリエット・タブマン：奴隷制廃止論者。奴隷生活から脱出し、奴隷解放組織「地下鉄道」の活動で300人以上の人々を奴隷状態から救い出した。

アイダ・B・ウェルズ：ジャーナリスト、女性参政権論者、全米有色人種地位向上協会（NAACP）の共同設立者。

キャサリン・ジョンソン：NASA（米国航空宇宙局）で働いた初の黒人女性数学者のひとり。

キャスリーン・クリーバー：法学教授、ブラックパンサー党の通信担当書記官。

レナ・ホーン：歌手、ダンサー、公民権運動家、女優。全米映画俳優組合の理事会に加わった初のアフリカ系アメリカ人女性。

ファニタ・ホール：1950年に『南太平洋』の役でアフリカ系アメリカ人初のトニー賞を受賞。

メイ・ジェミソン：NASAの宇宙飛行士、ダンサー、教授、エンジニア、医師であり、宇宙を旅した初のアフリカ系アメリカ人女性。

マヘリア・ジャクソン：伝説的ゴスペルシンガー、公民権運動家。

マジョラ・カーター：アメリカの都市再生戦略家、サステナブル・サウスブロンクスの創設者。

メアリー・チャーチ・テレル：女性参政権運動家、公民権運動家、最初に大学の学位を取得した黒人女性のひとり。

マヤ・アンジェロウ：詩人、歌手、公民権運動家、教授、有名になった最初の黒人女性回顧録作家、『歌え、翔べない鳥たちよ』の著者、スポークンワードのアルバムでグラミー賞を3回受賞、大統領自由勲章、全米芸術勲章、50以上の名誉学位を授けられている。

パウリ・マレー：弁護士、作家、司祭、全米女性組織（NOW）の共同創立者。

フィリス・ホイートリー：作品が出版された初のアフリカ系アメリカ人詩人。

ローザ・パークス：公民権運動家。白人の乗客にバスの座席を譲ることを拒否したことから「解

放運動の母」として知られている。

ルビー・ブリッジス：人種統合がなされたニューオーリンズのウィリアム・フランツ小学校を卒業した初のアフリカ系アメリカ人、ルビー・ブリッジス財団の設立者。

セプティマ・ポインセット・クラーク：教育者、公民権運動家、NAACPチャールストン支部の副会長、南部で大人に読み書きを教えるシチズンシップ・スクールの創設者。

シャーリー・チザム：アメリカ合衆国の主要政党から大統領選に立候補した初のアフリカ系アメリカ人（ジョージ・マクガバンに敗退）。連邦議会・黒人議員幹部会および女性議員幹部会の創立メンバー。

ソジャーナ・トゥルース：奴隷制廃止論者、作家。北軍に加わる黒人兵士の募集に協力。

他にも数えきれない人々が、これまでもこれからも変革のために闘っています。

この人に注目：
マーシャ・P・ジョンソン（1945-1992）

マーシャ・P・ジョンソン（Pは「気にしない（pay it no mind）」のP）は、LGBTQ+解放運動の重要人物でした。ニューヨークの「クリストファー・ストリートの女王」と呼ばれたジョンソンは、黒人トランスジェンダー女性で、華やかなドラァグ・クイーンおよびモデルとして活躍し、生涯活動家でもありました。彼女は自分が属していたコミュニティに深く愛されていましたが、クィアやトランスの歴史語りにおいては言及されないこともよくあるのです。

ジョンソンはストーンウォールの反乱〔本書P154を参照〕の最前線におり、後にゲイ解放戦線でも積極的に活動しました。これは構造的なジェンダー不平等を撤廃し、「ヘテロノーマティヴな核家族が理想的な家族および社会の中心である」という概念を変えるために闘う活動家グループです。

彼女はシルヴィア・リベラと共に、ニューヨークのホームレスのクィア、若いドラァグ・クイーン、セックスワーカー、トランスジェンダーの若者たちにシェルターを提供するSTAR（Street Transvestite Action Revolutionaries／路上異性装者行動革命派）ハウスを設立しました。ジョンソン自身もセックスワーカーであり、ホームレス状態になることも多かったため、適切な行政支援を受けられないことが多いニューヨークのセックスワーカーたちを助けることがいかに重要かをわかっていました。この支援プログラムはもう存在していませんが、ホームレスのクィアの若者たちへの支援活動の青写真となりました。

1980年代に入っても、ジョンソンはLGBTQ+の人々に与えられていなかった権利のために闘い続け、ACT-UP（AIDS Coalition to Unleash Power／力を解き放つためのAIDS連合）に参加しました。素晴らしい直接行動を何度も成功させた後、ACT-UPは分裂し、それぞれAIDSコミュニティに大きな支援を提供する組織へと発展しています。

ジョンソンは生涯を通じて心の健康問題に苦しんでおり、この事実は1992年の彼女の死が自殺であるという主張を裏付ける証拠として使われました。彼女は行方不明になった後に、ハドソン川で遺体が発見されました。仲間たちはジョンソンが殺されたものと信じており、2012年に彼女の友人たちがニューヨーク市警に事件の再捜査を依頼しました。その死の真相は現在も明らかにされていませんが、彼女は強さ、希望、インスピレーションの推進力となり続け、クィア解放のための闘いのリーダーとして記憶されています。真の女王としての彼女の伝説は今も生き続けています。

マーシャ・P・ジョンソン： アメリカ合衆国ニュージャージー州生まれの活動家、ドラァグ・クイーン、セックスワーカー。マーシャの死の真相究明を求める盟友ヴィクトリア・クルスらの活動が、2017年のドキュメンタリー映画『マーシャ・P・ジョンソンの生と死』に記録されている。

黒人少年が
黒人男性になる時、その1
黒人男性に対する警察の暴力

「子どもたちをどう扱うかほど、その社会の魂をよくあらわしているものはない」
——ネルソン・マンデラ

アメリカ合衆国の黒人少年たちは、構造的に失敗するよう仕向けられている。

社会問題の深刻さと複雑さを理解するために、わたしたちは自分と他者のあらゆるアイデンティティについて考慮する必要があります。ジェンダーと人種は、わたしたちが他者について最初に識別する特徴ですが、もしそれぞれを唯一絶対のものとして扱えば、インターセクショナリティの重要な論点を見逃してしまうことになります。ジェンダーと人種は、警察による暴力、黒人少年をくじけさせる学校制度、そして黒人男性を見捨てる司法制度の背景にある2大要因なのです。

警察と大部分の大衆文化の目に、黒人少年たちは彼らが存在するほぼすべての空間において不審者として映っています——裕福な白人の地域でも、黒人の地域でも、そして公共空間の多くでも。黒人男性は警察による不当な（時に暴力的だったり命に関わるような）職務質問と所持品検査の標的に最もされやすい人口集団なので、黒人の男の子たちは幼い頃から警察に対して警戒心を抱くようになっています。

研究の結果、警察は同じことをしている黒人と白人の少年の写真を見た時、黒人少年を実年齢より年上、白人少年を実年齢より年下だと認識することがわかっています。

「黒人少年は実際の年齢よりも年上だと誤認され、同じ年頃の白人の子なら子どもらしい無邪気さにすぎないと大目に見られるであろう発育期にあっても、その行動に責任を負うものと早くから認識される傾向がある」
——論文「無邪気さの本質　黒人の子どもたちの非人間化がもたらすもの *THE ESSENCE OF INNOCENCE: CONSEQUENCES OF DEHUMANIZING BLACK CHILDREN*」

これらの誤解によって、黒人の若者は警察に接近された時、安全な対応の選択肢がほとんどないまま袋小路の状況に陥ってしまいます。

- 選択肢1：撃たれたくないから逃げる。
- 選択肢2：じっとしていたのに誤って動いてしまうと、武器に手をかけようとしているものと推定される。
- 選択肢3：じっとして穏やかに質問をしようとすると、地面に押さえ付けられる。

青年期にはじまる警察の暴力に対する恐怖は、大人になってから「予言の自己成就」〔根拠のない思い込みであっても、人々がそのように信じて行動することによって、その通りの現実ができあがる現象。社会学者ロバート・マートンが提唱〕を引き起こすことになります。

過去10年間に警察に殺された非武装の黒人男性には以下のような人々がいます。 アマドゥ・ディアロ、ショーン・ベル、オスカー・グラント、アーロン・キャンベル、オーランド・バーロウ、スティーヴン・ワシントン、マイケル・

ブラウン、フレディー・グレイ、トレイヴォン・マーティン、ケンドレック・マクデイド、キマニ・グレイ、フィランド・カスティル、ジョーダン・エドワーズ、アルトン・スターリング、ウォルター・スコット、エリック・ガーナー、タミール・ライス

「ワシントン・ポスト」紙によれば、2016年に警察が射殺した963人のうち234人（24％）が黒人でした。アメリカ合衆国の人口に占める黒人の割合はたった13.4％です。

黒人少年が
黒人男性になる時、その2
不当に投獄される黒人男性たち

アメリカ合衆国において、黒人男性が特に警察に目をつけられ、収監されがちであるということが目下の問題となっていますが、これは昨日や今日にはじまったことではなく、その起源は奴隷制度と歴史的に深く埋め込まれたレイシズムにあります。

ちょっと歴史を学べば、現代の産獄複合体の組織的な人種差別がどのようにして生まれたのか、その背景にあるさまざまな事情を知ることができます。南北戦争の前から、アメリカ政府は課税方式を土地の価値から人口を基盤にしたものに変更していました。議員定数は州ごとの人口と結びついており、北部の大きな州は南部の州よりも人口が多かったため、南部の州は国会で自分たちの議席を増やすために奴隷を人口の数に含めることを提案しました。しかし彼らは人口増加に応じた高い税金を払いたくなかったので、たくさんの議論を経た末に5分の3妥協案に至りました。5分の3妥協案は、奴隷はひとりが白人ひとりの5分の3にしかあたらないと定義するものです。ひとりの人間を他の人間より劣った存在と評価することが許容され、合法であると定められたのです。この論理は南部の州の議席を増やし、奴隷制度を支持する法律を可決させる政治力を強めました。

1865年に修正第13条が可決され奴隷制が法的に廃止された結果、南部の州において無償労働の基盤が崩れ、すぐに経済的な影響があらわれはじめました。しかし修正第13条には抜け穴があり、元奴隷所有者たちはすぐにこれを利用するようになりました。すなわち、犯罪の罰としてなら奴隷労働をさせることは許されたので

す。これがどこにつながるのか見てみましょう。奴隷制廃止後、「ブラック・コード（黒人取締法）」が施行され、収監に結びつく（したがって奴隷労働をさせられる）大量の「犯罪」が規定されました。放浪、異人種間恋愛、不法集会、雇用者の許可を得ない農産物の販売。さらに、親のいない未成年者も強制的に労働させられる可能性がありました。

受刑者は、炭鉱、鉄道、木材会社での肉体労働を担うために最高入札者に「リース」されました。似たような話を思い出しませんか？　この時代、投獄される人の数は10倍に増え、そのほとんどが黒人男性でした。無償労働、人種に基づく暴力、無償労働のための入札（人にお金を支払う）——このやりかたは、議員たちが合法として逃げ切れる程度に奴隷制に近いものだったのです。

そんな時代は遠い過去のように思えますが、黒人男性の扱いは今日でもほとんど変わっていません——別の名前のもとで同じことがおこなわれているのです。「学校から刑務所へのパイプライン」とは、学校における人種偏見に基づく処罰がゼロ・トレランス方針〔zero-tolerance policy／1970年代、学級崩壊などの問題が深刻化したアメリカで施行された、寛容（tolerance）を是としない、規則を逸脱した生徒に厳罰を与える教育方針。90年代には連邦議会が各州に法案化を

義務付け、その後日本でもいくつかの都道府県で導入が検討された）と組み合わさった結果、不当に投獄されてしまうブラックやブラウンの若者の数が多すぎる事態を指す言葉です。教育省によれば、学校内で逮捕されたり法執行機関に引き渡されたりした生徒の70％が黒人、またはラテン系の少年です。ここで留意すべきは、ブラックやブラウンの少年たちは罰せられるべき犯罪をより多く犯しているわけではなく、白人の同級生よりも頻繁に厳しく罰せられているということです。こうした方針によって、退学や停学になる確率の高い生徒のほとんどは、中退して投獄されるリスクも高くなっているのです。

「アフリカ系アメリカ人男性は、白人男性に比べて6倍、ヒスパニック系男性に比べて2.5倍の確率で投獄されている。もし現在の傾向が続けば、今日生まれた黒人男性の3人に1人が生涯のうちに刑務所に入ることになり、同じようにラテン系男性の6人に1人が刑務所に入ることになる。白人男性の場合は17人に1人だ」
──国連人権委員会のための量刑プロジェクト2013年度報告書

警察が黒人男性、黒人少年、黒人の人々を差別しているのは、構造的抑圧を持続させている権力の座にある人々（警察を含む）によって、そうした物語が作られているからです。ごく少量のマリファナ所持といった非暴力犯罪でも、黒人は何年も刑務所に入れられてしまう可能性があります。そうして彼らは労働市場において不利な立場に置かれ、刑務所を出ると生計を立てる別の方法を探すことを余儀なくされます。そうしたやりかたは彼らを何度も刑務所へと戻ってこさせるでしょう。これは改善されるべき、卑劣で残酷なサイクルです。

ラヴァーン・コックス

「私が黒人男性と認識されていた時、私は公共の安全への脅威となった。私が私らしい格好をしていた時、脅かされたのは私の安全だった」
——ラヴァーン・コックス

ラヴァーン・コックスは素晴らしく示唆に富んだ発言者であり、エミー賞にノミネートされた女優であり、ドキュメンタリー映画のプロデューサーでもあります。彼女はアメリカ合衆国で最も有名なトランスジェンダーのひとりになりました。彼女はよく知られている（そしてすごく美しい）顔であり、LGBTQ+問題、特に有色人種のトランスジェンダー女性の権利のために積極的に発言している人物です。

彼女はダンスの世界（主にバレエ）で育った後、メリーマウント・マンハッタン・カレッジ在学中に演技をはじめました。この頃、彼女はジェンダー・ノンコンフォーミングから女性へと変わり、医学的な性別移行もおこなわれました。その過程で携わったニューヨークでのドラァグ・クイーンとしての芸能活動は、自身のジェンダー表現とパフォーマンスをしたいという彼女の欲求のはけ口となりました。2007年、キャンディス・ケインがゴールデンタイムのテレビ番組初のオープンなトランスアクターになったのを見たことが、コックスにとって啓示の瞬間となり

ました。彼女は自分もプロのトランス女優として成功できるのだと悟ったのです。それ以来、彼女は『ロー＆オーダー』や『ボアード・トゥ・デス』に出演し、2012年にはドラマ『オレンジ・イズ・ニュー・ブラック』のスターとして一躍有名になりました。

有名な黒人トランス女性として、ラヴァーン・コックスはこれまでもこれからも、主流メディアにおいてトランスの人々、特に黒人トランス女性を代表する重要な人物であり続けるでしょう。彼女はトランスの権利運動の力強い擁護者であり、わたしたちみんなが尊敬し、学ぶべき素晴らしい女優です。

コックスはこう述べています。「私たち一人ひとりが抑圧者となる力を持っています。自分がどのように抑圧者になり得るのか、そしてどのように自分自身や他の人々のための解放者になることができるのかを、私たち一人ひとりが問うよう促したいのです」

ラヴァーン・コックス： アメリカ合衆国アラバマ州生まれの女優。トランスジェンダー女性としてエミー賞に初めてノミネートされた。Netflixのドラマ『オレンジ・イズ・ニュー・ブラック』でトランス女性のソフィア・バーセット役を演じ、有名になった。

1ヶ月に5人と寝る女
社会曰く：彼女はあばずれ

1ヶ月に5人と寝る男
社会曰く：彼はモテ男

性的暴行、#metoo、ジェンダー化された暴力

内容についての警告：このページの見出しが示す通り、ここでは主に女性に対する性暴力の問題を取り上げています。この話題について読むのがつらいかたは、ここを飛ばしてください。すべてのサバイバーに愛を。あなたは強く素晴らしい人です。

性暴力は世界中にはびこっており、おそらく人間が存在するようになって以来、今日までずっと続いてきました。少なくとも古代エジプト時代には既にそうだったらしく、「パピルス・ソルト124」と呼ばれる古文書にはパネブという名前の男による犯罪、性暴力、汚職について詳しく書かれています。性暴力を伝える話は、古代ギリシャ、中世、過去半世紀の植民地主義、奴隷制度、歴史上のあらゆる戦争、第45代アメリカ大統領〔ドナルド・トランプ〕に、そして今日のニュースにも溢れています。

もし公に告発された、そして／あるいは法的に懲戒を受けた性的暴行、ハラスメント、不適切／非同意的な性的行為の加害者をすべて挙げたら、そのリストは何千ページもの長さになり、さらに増え続けるでしょう。

もし報告されず、罰されず、被害者を守れない司法制度のおかげで自分が犯した罪の責任を取らずに済んでいる性的暴行、ハラスメント、不適切／非同意的な性的行為の加害者をすべて挙げたら、そのリストは何十万ページもの長さになり、指数関数的に増えていくでしょう。

痛ましいことに、性暴力の話題はこの本を一冊まるごと埋めることができるほどで、この種の暴力／ハラスメントを経験したことがある人、または経験したことがある人が近くにいる人にとっては深い悲しみと怒りの源です。#metoo

と言うために一歩を踏み出していく人々の力と痛みを目の当たりにして、自分自身で声をあげることができない人々に寄り添い、そうした人々に代わって声をあげることの大切さを痛感します。暴力の被害者になってしまった人は深く辛い恥の感覚を経験することがあるために、身の安全や人間関係やプライバシーを危険に晒すことを恐れて声をあげない場合も多いのです。

わたしたちは、暴行やハラスメントの被害者が前に出て自分の経験を分かち合うようになった変化の瞬間に生きています。#metooによって説明責任が問われるこの瞬間に、透明性、真実、勇気はたいへん重要です。そして、性暴力の発生率が本当に下がっていくまでには、まだまだ取り組むべき課題がいっぱいです。

2017年、ハーヴェイ・ワインスタインに対する申し立てが表面化した後、#metoo運動は、セクシュアル・ハラスメントや暴行がいかに世にはびこっているか、そしてソーシャルメディアという道具がいかに強力なものになり得るかを示しました。#metooというフレーズは、公民権運動家のタラナ・バークが2006年に考案したもので、「共感を通じたエンパワメント〔empowerment／広義には、個人や集団が権限を与えられること、力をつけること。20世紀以降の先住民運動、女性運動、市民運動などの場では、それまで不当に権限を抑えられてきた人々が自身の潜在的な能力を発揮できるよう、社会全体の改革と個人の意識変革・能力強化の両方を進める取組みとして用いられ

ている)」のキャンペーンで使われました。「Me too（私も）」は、バークが性的暴行について13歳の少女に打ち明けられた際に言いたかった言葉です。彼女は後に、虐待を経験した有色人種の女性のために連帯を示し、励ますためにこのフレーズを使いました——あなたはひとりぼっちではないと言うための簡単な手段です。

この運動は大きな成果をあげました。

- どんな行動がセクシュアル・ハラスメントになるのかの明確化
- 性暴力の重大性についての認識の向上
- 告発された人に対する処罰の強化への注目
- 学校における同意と性についての早期教育の推進
- 高校および大学での同意についての授業の義務化を要求
- 被害者の検査を必要としないレイプキットの提供に向けた努力

このハッシュタグは被害を受けた人々に自分の経験を公表する力を与えてきた一方で、ソーシャルメディア上に溢れる#metooの物語は、被害を受けた人々に

とって、よくない引き金（トリガー）になってしまうこともままあります。性的暴力についての話が絶え間なくおこなわれていることは、たとえ可視化とエンパワーメントを目的としていたとしても、そうした経験がある人の心を傷つける可能性があります。自分の周りの苦しんでいる人々が嫌な経験を思い出さないよう配慮し、思いやり、寄り添いながら怒り続け、闘い続けましょう。

アニタ・ヒルと
クリスティン・ブレイジー・フォード

「何度も何度も言われました。『スケジュールがあるんだ、これを進めないといけない』と……私たちが気にかけているのは形式なのでしょうか、それとも現実なのでしょうか。私たちは伝統よりも人間の経験を尊重しなければいけません」
――最高裁判事候補ブレット・カヴァノーの上院司法委員会公聴会におけるアニタ・ヒルの証言

2018年10月、わたしは最高裁判事に指名されたブレット・カヴァノーについての上院司法委員会の公聴会に、数日間にわたって耳を傾けていました。彼はクリスティン・ブレイジー・フォード博士から、過去に性的暴行をはたらいたとして告発されていました。ある日、食料品店の駐車場に停めた車の中で1時間にわたって話を聞いていたわたしは、すごく動揺してしまい、ラジオを消すことも別の局に変えることもできませんでした。彼女の証言に胸が張り裂けそうでした。彼女は無防備で、正直で、強く、緊張していたのに加え、裁判官と上院議員の双方からの怒りと敵意と保身に直面していました。

その27年前にあたる1991年、アニタ・ヒルは、クラレンス・トーマス判事からセクシュアル・ハラスメントを受けたと申し立て、彼の指名公聴会でそのことを証言しました。権力の座にある男性に対して公にセクシュアル・ハラスメントの告発がおこなわれたのは、この時がほぼ初めてのようなものでした。これはたいへんな物議を醸したのと同時に、現在#metooとして知られる運動の基盤ができあがった瞬間でもあります。当時、ヒルは雇用機会均等委員会でトーマス氏の部下として働いており、職場で性的不正行為がおこなわれたと主張していました。

このふたつの事件には、人種、政治情勢、不正行為の発生からどれくらいの時間が経っているか、ジェンダー化された経験に対する一般社会の理解など、それぞれはっきりと異なる要素があるものの、気味の悪い類似点があります。カヴァノーは、トーマスの公聴会での発言を一言一句変わらず繰り返しすらしました。「これはまるで見世物だ（…）この確認手続きは国家の不名誉となっている」と。これらの女性たちの勇気に応えて、また彼女たちが受けた不当な扱いに対するうんざりした気持ちから、支援が溢れるように寄せられました。1991年にアニタ・ヒルが証言した際には、1600人の黒人女性がお金を出し合って「ニューヨーク・タイムズ」紙に彼女への支持を表明する全面広告を出しました。2018年には、市民がヒルとフォード両者を支持していることを表明する狙いで、1600人の男性が広告を出しました。

27年を経た今、わたしたちはトラウマ、性的暴行、ジェンダー格差への理解を以前より深めています。したがって、権力者がこれらの女性たちをどう扱うかも変わるかもしれないと思うでしょう。しかし、ほぼ白人男性だけに占められた部屋で、このふたりの女性は疑いの目で見られ、大多数の上院議員（フォードの公聴会の場合は共和党の上院議員）によって貶められ、たいしたことではないと片付けられてしまいました。ふたりの男性は告発されたにもかかわらず最高裁判事として承認されました。権力者にとって、「彼はこう言った、彼女はああ言った」という状況

は、常に「彼はこう言った」で終わるのです。
こうした状況でわたしたちはいったいどこまで
前進したのか、そしてどこまで後退しているの
かを見極めるのは難しいものですが、つまると
ころ、**わたしは彼女たちを信じています。**

摂食障害は誰でもなる病気

わたしたちの体は、わたしたち自身と他者によるとてもつない監視の的となっています。推定2400万人のアメリカ人が摂食障害（ED）に苦しんでおり、これは「静かなる伝染病」と呼ばれたりしています。わたしたちは肥満恐怖症——とりわけ女性についての——と、達成不可能な美の基準へのこだわりが蔓延する文化に囲まれて生きています。これは大問題であり、さまざまな人が摂食障害の影響を受けていること、またそういった人々のためのケアが不十分であることが広く話し合われていないことで、状況はますます悪くなっています。

まずはじめに、摂食障害がどのようにあらわれ、誰に影響を与えているのかの真実について、わたしたちにはごくわずかな情報しか与えられていません。拒食症をはじめとする摂食障害は、メディアではたいてい以下のふたつの型で描写されています。

- 若い白人の上流階級の少女が、社会または親の圧力によって摂食障害に向かう。彼女はもっと魅力的に（細く）、性的に欲望されるように、女らしくなりたい、または自分で自分をコントロールしたいという思いから厳しく節制している。『スキンズ』『プリティ・リトル・ライアーズ』または『マッドメン』のベティ・ドレイパーを参照のこと。「摂食障害」で検索して出てくる写真のほぼすべてが、細くて若い白人の少女のものだ。

- 中年女性またはモテない少女が失恋の後にアイスクリームを大食いして「羽目を外している」。このステレオタイプは過食が深刻な摂食障害であることを無視し、肥満恐怖症の伝播に加担する。

こうした描写は、摂食障害の苦しみの描写として不正確であり不十分です。

男性、有色人種の人々とクィア、トランスジェンダー、および高齢者も（そうでない人々と同じかそれ以上に）摂食障害を患っています。摂食障害の背景にある精神的、感情的、身体的な理由は人それぞれ大きく異なり、その多くは一般にこの問題をめぐる議論には出てこないものです。以下に人が摂食障害を発症する原因のうちのいくつかを挙げます。

- より男らしく／筋肉質な体にならねばというプレッシャーを感じている男性が、運動や食事制限に関して依存症的な極端な行動に走ることがある。

- 自分自身の体に違和感を持っているけれど、手術でそれを変えることができない、あるいはそれを望んでいないジェンダークィアやトランスジェンダーの人々が、食事と極端な運動によって自分の体をある程度コントロールできると感じている。

- 性的暴行を経験した女性が、トラウマから距離を取ったり、男性の暴力の脅威から自分を守ったり、男性からの関心を退けたりするために過食に走ることがある（肥満恐怖症は、どれぐらいの体重が魅力的とされているかと直接的な相互関係がある）。

- 不安症、うつ病、境界性人格障害、双極性

障害、PTSD、強迫性障害などの精神疾患のある人は、同時に摂食障害を発症することがある。

- 高齢者はかつてのように性的でなく魅力的でない存在とされ、自己不信感を掻き立てられ、自分に自信を持つことを難しくさせられている。年齢を重ねたからといって精神疾患が治るわけではなく、高齢者は時と共に安定した支援のネットワークを失ってしまうことがよくある。

- 出された食べものを断ることを失礼とする文化では、ひとりでいる時に秘密裏に吐いたり、極端に食べなかったりする人がいる。

- ダイエット文化やどぎつい美の基準の影響下で育った子どもたち（親が摂食障害だったり美少女コンテストに興味を持っていたり）が、それを大人として正常なふるまいとみなして吸収してしまう。

- 一般に人々――とりわけ有色人種の女性――は、白人女性ばかりが美の基準のあるべき姿として称揚されているのを目にさせられている。

- 食糧が乏しい家庭で育った子どもたちは、飢えへの危惧を身につけて食べすぎてしまいがち。

- 摂食障害は遺伝的な問題から起こることもよくある。

病気を患っているとは思われない、あるいは患って「いるはずがない」人には、安心して苦しみを分かち合って助けを求めることのできる機会がぐっと少なくなります。摂食障害はアメリカ合衆国において最も致命的な精神疾患であり、ステレオタイプの外側にいる人々を気にかけ、そういった人々を辱めるのではなくその苦しみを認め、高額な医療が必要なのは誰なのか、また誰がそれを利用できているのかについて、広い視野で考えることが求められています。

そしてお願いだから何かというと「ハンバーガー食ってろ」と言うのをやめてください。

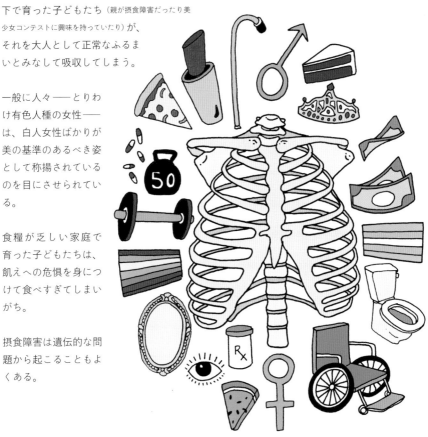

あらゆる加齢は平等にできていない
（あるいは、そうわたしたちは教えられてきた）

体が年老いるという普遍的な作用に関して、男性と女性は平等に扱われていません。幸いわたしたちは、感情的、知的、社会的な成熟を20代半ばで止めてしまうということはありませんが、多くの人は肉体的な加齢を「最盛期」で止めることができればいいのにと願っています（えーっ……わたしの20代半ばはわたしの最盛期じゃなかったけどね）。わたしたちは加齢についてかなり歪んだ考えを抱いています——クリームや紫外線、フェイスリフト、ボトックス、植毛などなどを用いて年を取ってなんていないふりをしたり、加齢を隠したりします。

加齢に関しては（全員ではないにしても）ほとんどの人が自意識過剰なところがありますが、加齢によって自分の美しさ、価値、自信、恋愛や仕事の可能性が低下しているように感じてしまうのは主に女性です。一方、男性は、年齢を重ねるにつれて威厳や賢さ、権力が増していくように見られる傾向があります。わたしたちは男性が年を取ることは許容され、女性はされない世界を作りあげてしまったのです。

少年が男性になることと少女が女性になることを人々がどのように捉えているかを考えてみましょう。男性は髭や体毛を生やして声が低くなり、筋肉量が増え、顎の線がたくましくなります。これらはすべて、権力、男らしさ、強さ、成熟につながります。女性の美の基準は若さに根ざしています。体毛が薄く、肌に透明感があり、胸に張りがあり、細い。女性にずっと18歳のままでいることを期待するのは無理な相談です。10歳は10歳に、40歳は40歳に、60歳は60歳に見えるべきです。

加齢に普遍的なかたちはありません。皺ができる人もいれば、髪の毛が抜ける人もいるし、耳から長い毛が生えてくる人もいるし、肌のあちこちがたるんでくる人もいます——そして、すべてそれで問題ないのです。あなたがどのジェンダーであろうとも。

ジェンダーバイアスのない加齢を実現するために、わたしたちは考えかたと行動を変える必要があります。

- 見た目がどうあろうと自分の体には価値があるのだと誰もが感じられるようにするべき。体はもともと知性、知恵、強さ、感情、歴史、能力を反映するものではありません。皺のある体は美しい体です。太った体は美しい体です。毛深い体は美しい体です——一部が白髪になっていたらなおのこと。背中の曲がった体は美しい体です。
- 誰もが年を取ることを知っておくべき。あるジェンダーは他のジェンダーとは異なるスピードで年を重ねるべきなんて考えはばかげています。優雅に、力強く、尊厳を持って年を重ねさせよ。
- 女性に若さを買うよう促す広告をやめるべき。それらは女性たちにプレッシャーを与える非現実的で有害な基準を作り出しています。そうでなくとも全体的に見て、女性には男性より低い給与しか与えられていません。女性たちを騙して、男性よりも低い時給から、主に男性が設定した美の基準に基づいた製品にお金を出させようとするのをやめるべきです。

わたしたちは、特に美の基準と年輩の女性に関して、内面化されたエイジズム（年齢差別）を取

り除く努力をしなければなりません。わたした
ちは常に、無意識のうちに人を見たところの年
齢に基づいて値踏みしています。雇用において
も、ネットでの出会いにおいても、友人関係に

おいても。人は年を重ねれば重ねるほど有能に、
賢くなれます──思いがけない部分においてさ
え。若者よ、謙虚になりたまえ。年配の人々は
これまでの人生でいろいろ学んできたのだから。

中絶について

中絶は必要不可欠な人権の問題であり、出生時に女性に割り当てられた人々（AFAB）に体の自由、生殖の決定、家族計画、プライバシーの基本的な選択権を与えるものです。

註：わたしはここで中絶にまつわるケアを必要としている人を指すのにAFABという頭字語を使います。しかし、出生時に割り当てられた性とは異なる性を持つインターセックスの人々にもまた、妊娠の可能性があることを確認しておきたいと思います。シス女性、ジェンダークィアの人々、トランス男性、インターセックスの人々など、さまざまなジェンダーの人に妊娠する可能性があり、包括的なリプロダクティブ・ライツ〔性と生殖における権利〕が必要とされています。

「女性が子どもを産み育てることを強制された場合、『不随意の隷属』を受けることになり、これは修正第13条違反にあたります。（…）たとえ女性が妊娠の危険性を引き受けることに同意したとしても、国家が彼女に妊娠状態を強制することは許されません」
──アンドリュー・コプレマン、「強制労働 中絶の権利を擁護する修正第13条」

1973年に中絶の合法化を認めたロー対ウェイド裁判は、第二波フェミニズム〔1960年代から70年代とされる〕の女性の権利のための闘いにおける決定的瞬間でした。「プライバシーの権利」として裁判所に認められたのは、妊娠している本人の選択としての中絶です。しかし、そこには制限が設けられていました。最初の3ヶ月間は、妊娠を終了させるか否かの判断は完全に妊娠している本人に委ねられています。次の3ヶ月には、中絶が母親／出産者の健康に悪影響を与えるか否か、州が判断して同意を得た場合のみ合法となります。最後の3ヶ月の中絶──胎児生存可能性が確認されて以後の場合──は厳しく制限されており、出産が母親／出産者の命を危険に晒すことにならない限り許されませ

ん。多くの学者や弁護士が現在の合法的中絶の合憲性について議論しており、プライバシーの問題のもとで要点が十分に絞られていないこと、妊婦よりも医師の意思決定力に基づいていること、生存可能性をめぐる文言が曖昧で主観的であることなどが指摘されています。

中絶反対派の意見は、通常、胎児の「生命の権利」、または生命や人であることは受胎の瞬間からはじまっているという考えかたに基づいています。皮肉なことに、ロー対ウェイド裁判の原告であるノーマ・マコーヴィーは、裁判後、中絶によって引き起こされる感情的な苦しみ（とりわけ自らの経験）を引き合いに出して、熱心な中絶反対派になりました。

中絶の歴史は、控えめに言っても軋轢に次ぐ軋轢でした。中絶は政治において候補者の姿勢を示す共通基盤のひとつとして、しばしば有権者層を分かつ争点となっています。違法な中絶に対する処罰は、過失致死罪（中絶された胎児の死に対して）、政府による中絶クリニックの閉鎖、診療所への州からの資金援助の禁止、女性に中絶の許可を出す前に胎児の超音波検査を見ることを強制する、配偶者の同意を求めるなど、多岐にわたります。政府が中絶をどの程度管理するかは、政治権力の盛衰によって時と共に変化してきました。中絶できる医療機関が数軒しかない州もあれば、一軒しかない州もあります。そのため、遠方に住んでいたり、仕事を休めなかったり、他に養育すべき子どもがいたり、移動するお金が足りなかったりする人々にとっては、望んだ時に中絶することが非常に難しくなっています。

わたしは、人が自分自身の体にまつわる医学的な決定を下す権利を持っていることを認め、尊重します。**中絶は以下のようなさまざまな理由において、合法的かつ医学的に必要不可欠な選択です。**

- 意図せざる妊娠
- 経済的あるいは肉体的に子どもの養育が不可能
- 文化的または宗教的価値観
- 気持ちのうえで子どもを持つ準備ができていない
- 性的暴行による妊娠
- 健康問題
- 不安定な関係
- 家族のプレッシャー
- 怖れと恥

忘れないでいてほしいのは、多くの州では禁欲のみを重んじる性教育がおこなわれており、一部の学校では避妊法がきちんと教えられていないということです。中絶を違法とすること、もしくは制限することは、人を危険な中絶や、ト

ラウマの残るような困難な妊娠や出産のリスクに晒すのです。育てる余裕のない人が出産を強制されて危険な経済状況に置かれ、その負のサイクルは子どもたちに引き継がれてしまいます。

健康にまつわる法のほとんどは、出産の痛みはおろか、自分の体の中で赤ちゃんができる流れを経験したことのない白人でストレートでシスの男性たちによって決定されています。

ものすごくシンプルに言えば、自分は子どもが欲しいのか、また持つことができるのかは、まず本人に判断させるべきです。

妊娠3ヶ月までの中絶に合憲判決　最高裁

医療のバイアス

現在の医学研究の成果は男性に偏っている
──したがって治療も。

ほとんどの医療機関では、さまざまな理由から
ジェンダーを配慮する視点が取り入れられてお
らず、臨床試験の参加者も女性より男性が多い
ことから、データに危険を伴いかねない歪みが
生じています。

医薬品は男性にとって安全な量を (平均的な体躯と
薬物反応に基づいて) 処方されますが、女性にとっ
てはそれだと多すぎることがよくあります。心
臓病の治療技術は男性寄りのデータを基盤にし
ています。女性も心臓病の発症率は男性と同じ
程度ですが、そのあらわれかたは違っているの
です (女性の死因のナンバーワンです)。研究結果は全
体としてひとつの塊にまとめられ、性別次第で
異なる影響を及ぼす、命にかかわるかもしれな
い情報が消されてしまうのです。

平等な医療を提供するために、わたしたちは医
療データを平等に集める必要があります。

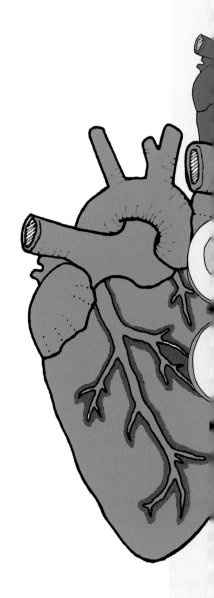

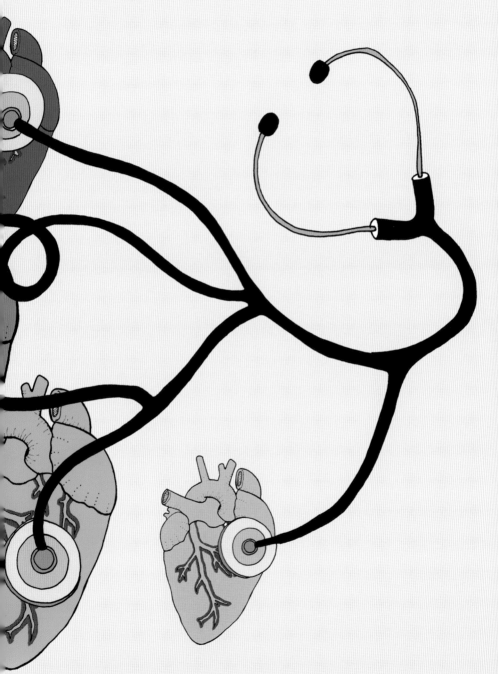

131

ジェンダーと精神疾患

精神疾患の経験は男性と女性＊で異なり、同じ病気でもそれぞれ違った治療が施されます。

たとえば、うつ病の場合。うつ病の人を想像してみてください。ほとんどの人が男性ではなく女性を思い浮かべたのではないでしょうか。統計によると、女性が生涯のどこかの時点でうつ病（慢性または急性の）を発症する確率は、男性の2倍なのだそうです。確かにその通りかもしれませんが、もしかしたらこれらの統計を出すにあたってのものさしに欠陥があるのかもしれません。

2013年、リサ・マーティンらは、うつ病の研究におけるジェンダーバイアスを減らす狙いで、怒り、薬物使用、リスクを負う、癇癪を起こすなど、男性により多くみられる症状を用いた「ジェンダー包摂的抑うつ評価尺度」を作成しました。うつ病の症状のうち、より幅広く、あらゆる性別が経験するものを含んだ尺度を使用すると、男性の30.6％、女性の33.3％がうつ病と診断されることがわかりました。

このジェンダー間の違い（または違いのなさ）については、さまざまな考えかたがあります。まず女性は、より大きなスケールでの構造的な苦難を経験しています。トラウマを抱きやすく、経済的な拠りどころが乏しく、仕事と家庭の責任に関してストレスが多く、産後うつを患い、そして場合によってはシングルペアレントであるなど。こうした生活条件をメンタルヘルスの問題から切り離すなんてありえません――これらは疑いの余地なく結びついており、さらに他の精神的・身体的疾患につながることも少なくありません。社会の状況や構造的なジェンダー不平等により、女性はこの種の精神的および肉体的過労を経験する可能性が高くなっているのです。

その一方で、社会的なジェンダー規範は、男性がうつ病経験をつまびらかにすることを妨げ、男性のうつ病を過小評価する方向にデータを歪めている可能性があります。男性が泣いたり、助けを求めたり、悲しみを表現したりするための空間は、あまり作られていないのです。男らしさの多くの側面がそうであるように、彼らの経験は「男らしさ」という覇権的な規範のフィルターをかけられているのです。傷つきやすい心が、怒り、攻撃性、薬物乱用、ギャンブル／危険行動、暴力によって表現されることもしばしばです。わたしたちはこれらを抑うつや不安のあらわれとして見るのではなく、怒りの問題、アルコール依存症、混乱、またはただの遊び人なのだろうと分類します。虐待的な行動は悲しみや空虚や不満の表現なのかもしれませんが、だからといってそうした行動が許されるわけでは決してありません。しかし、もしわたしたちが社会全体で男性の脆弱性にまつわるスティグマを減らすことができれば、より多くの男性が心の健康問題の治療を受けようとするでしょう。アメリカ合衆国では、10人の自殺者のうち7人が白人男性であり、全体として男性は女性の3.5倍も自殺する可能性が高くなっています。

ある経験のさなかで孤立しているように感じることは、経験そのもの以上に危険なことがあります。 わたしたちは精神疾患がすべての人に影響を及ぼすものだということの周知を図り、その影響には似通ったものもそれぞれ異なるものもあるということについて、もっと話し合うべきです。

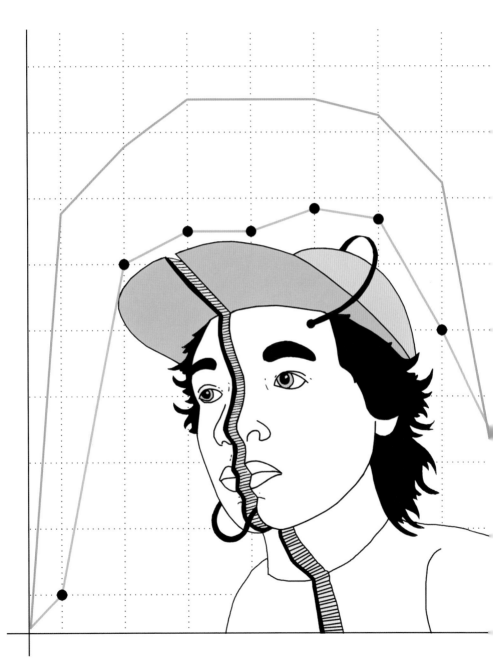

トランス・コミュニティにおける メンタルヘルス

出生時に割り当てられた性とは異なるジェンダーを体現する経験には、素晴らしい要素がいっぱいです。たとえばコミュニティ、楽しみ、ファッション、受容、愛、ユーモア。にもかかわらず、トランスジェンダーでいることは時に本当に困難で、危険で、孤独で、怖い経験になってしまうこともあります。

トランスジェンダーの人たちが晒されている心理的苦痛、メンタルヘルスの問題、いじめ、性暴力、殺人、自殺のリスクは、シスジェンダーの人たちよりもはるかに高いのです。アメリカ合衆国のほとんどおよび世界のほとんどでは、トランスジェンダーでいることは今なお安全とは言えませんが、その可視性と認知度はどんどん高まっています。そのうえで宗教、地理的伝統、保守的な法律、階級的価値観、同性愛嫌悪、そして恐怖心は、時に敵意と憎しみを生み出します。

以下の不穏な統計は、トランスジェンダーとしての生（と死）について UCLA のウィリアムズ研究所が調査した2014-2015年の時点の〔アメリカ合衆国の〕ものです。

- 44％のトランスの人々に自殺未遂経験がある。
- 77％のトランスの人々が言葉によるハラスメント（54％）や身体的なハラスメント（17％）など、何らかのかたちで学校での虐待を経験している。
- 過去1年のあいだに職についていたことがあると回答した人のうち、15％が職場で言葉によるハラスメント、身体的攻撃、そして／あるいは性的暴行（1％）を受けていた。
- 過去1年のあいだに職についていたことがある人の23％が、その他のかたちでの虐待を受けていた。
- 26％が、自分がトランスジェンダーであるという理由で、直系の家族と口をきかなくなった／関係が断たれた。
- 10％が家族からの暴力を経験し、8％が実家から追い出された。
- 33％が過去1年のあいだに、トランスジェンダーであることに関連して医療サービスにおいて嫌な経験をし、3％が医療従事者から治療を拒否されたことがある。
- 13％が幼稚園から高校を卒業するまでのあいだに、トランスジェンダーであるがために性暴力を経験している。
- トランスジェンダーの30％がホームレス状態を経験している。昨年ホームレスだった人は12％。
- 58％が、言葉によるハラスメント、度重なるミスジェンダリング〔誰かを当人が望んでいるのとは別のジェンダーとして扱うこと。トランスジェンダーの人物を呼ぶ際に、性別移行をする前のジェンダーの代名詞で呼ぶなど〕、身体的暴行、性的暴行（具体的な内訳は不明）など、何らかのかたちで警察からの虐待を受けた経験がある。

トランス・コミュニティに対する暴力についての統計はわたしたちに厳しい現実を突きつけ、あらゆるジェンダーの人々が安全に感じられるようになるには、まだまだはるかな道を歩まなければならないことを明らかにしています。参考資料については本書P200を参照のこと。

YOU
ARE
NOT
ALONE

あなたはひとりぼっちじゃない

特権について 初級編

あなたはジェンダーによって有利な立場にあり、それに気づいていないかもしれない

自分が他の集団の人たちに比べて有利な立場にあるか不利な立場にあるか、そうした力学を表現するのに「特権」や「抑圧」といった言葉を使おうと使うまいと、ほとんどの人たちは気づいています。わたしたちは往々にして、自分に与えられた特権を認めることよりも、他者の抑圧に目を向けることのほうがはるかにやりやすいのです。もしあなたが何かを特に問題だと思っていない場合、ある特権を持っているから不公平を経験しないで済んでいるだけかもしれません。あなたは特権を持っているという指摘は、よく以下のような否定的な反応を引き出します。

- 「でも、わたしは貧乏だし」
- 「でも、わたしの人生は特権があるというには大変すぎる」
- 「でも、わたしはここに至るまでに一生懸命働いてきた」

- 「でも、わたしは ＿＿＿＿＿＿ より楽をしているわけではない」
- 「でも、わたしは [周縁化された集団の一員] だ」

抑圧と特権は相互排他的なものではありません。たとえこれらすべてが当てはまっていてもなお、あなたは他の人たち以上に生来の社会的な優位性を持っているかもしれません。本質的には、特定のアイデンティティを持つことによって何らかの利益を得ている人々の集団には、すべて特権があります。わたしたちはみんないくつものアイデンティティを持っており、ほぼ全員それぞれの経験のうちに有利な面と不利な面の両方があるのです。人種、階級、ジェンダー、宗教、言語、年齢、能力、性的指向は、それ次第で特権が付与されたり否定されたりするアイデンティティの標識の一部です。

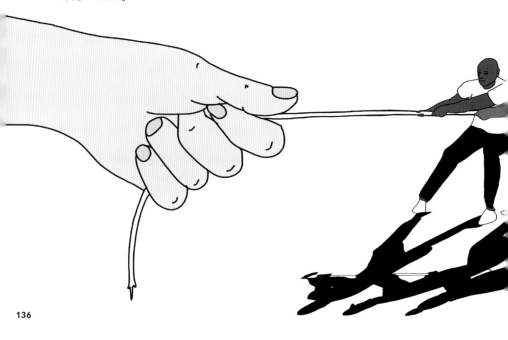

ジェンダーに関して言えば、他の人よりも楽にこの世の中を渡ることができる特定のアイデンティティが存在しています。自分自身のジェンダー特権について考えるにあたっては、以下を自問自答してみてください。

- 自分は公共のトイレを使う際、安全性について心配する必要があるだろうか？　どのトイレが一番安全か気にしているだろうか？

- 自分はビーチで乳首を見せても問題ないだろうか？

- 自分は家事の大部分をパートナーに頼っているだろうか？

- メディアで自分が表象されているのを目にするだろうか？　メディアの人々のうちで、

自分に似ている人の特徴はどんなだろう？

- 自分の給料は、（同等の資格を持った）異性／異なるジェンダーの同僚と同じだろうか？　もし給料が低かったら上司に問題提起するだろうか？　自分のほうが稼いでいる場合は？

- 自分は夜間にひとりで歩いていても安全に感じるだろうか？

- 自分はのびのびと自己主張できているだろうか？　職場では？　パートナーには？

- 自分はもっと笑顔でいるように言われているだろうか？

- 自分は生理痛のために病欠しなければならないことがあるだろうか？

- 自分は着たい服を着て、キャットコール〔通りすがりの女性などに向かって発せられる口笛、野次、ひやかし。悪気なく称賛や性的な興味を示しているつもりでも、たいていは迷惑行為にあたる〕されずに済むだろうか？ ハラスメントや暴行を受けた時、自分の格好がその口実として利用されるだろうか？

- もし自分がシングルペアレントだと知ったら、人々はどう思うだろう？

- 自分が大きな声を出している時に自分で気づいているだろうか？ 自分が物理的な空間を占めるのはいつだろうか？ 話に割り込むのはいつ？

- 年齢を重ねるにつれて自分の扱いはどう変わるだろうか？ より影の薄い存在になる？ それともより強力な存在に？ 加齢

に伴って、然るべき魅力の基準を満たすための製品を使用する必要があると感じているだろうか？

もし、あなたの人生における問題あるいは障害として以上のような事態に直面したことがないのなら、あなたはいくらかの特権を持っていると言えそうです。こうしたシナリオにおいてジェンダーの制約を受け、恐怖や不快感を経験している人々のことを考え、他の人々の抑圧を軽減するためにあなたの特権を使う方法を考えるよう努めましょう。以下はあなたにできることの一部です。

- あなたが経営者なら、従業員のすべてに均等な賃金と産休・育休を与えましょう。トイレをジェンダーニュートラルにしましょう。「個室」と「個室と小便器」と表示すればいいだけのこと。そうすれば利用者が

それぞれジェンダーに関係なく個人的に快適なほうを選ぶことができます。何らかの理由でそれができない場合は、個室の施錠式トイレをジェンダーニュートラルに指定すればいいのです。

- 会議に参加する際、自分の声や意見がどれだけの空間を占めているか意識しましょう。部屋にいる他の人たちに自分の意見を言わせ、割り込まないようにしましょう。男性は一般に、たとえ彼の考えが女性／他のジェンダーの同僚に比べて優れてはいない場合でも、よく耳を傾けられています。

- あなたが白人女性なら、インターセクショナル・フェミニズムと有色人種の女性の経験について学びましょう。あなたがシスジェンダーなら、トランスが主導する組織への寄付を検討しましょう。

- あなたが比較的健康な男性なら、自分の有給病気休暇を、それをもっと必要としている人々に寄付することを検討しましょう。女性やシングルマザーは、選択肢のない個人的あるいは家庭的な問題（病気の子ども、学校の会議、生理痛）に対処するために、病欠したり休暇を取ったり無給で労働したりすることがよくあるのだから。

- 女性に対してキャットコールするな。

- 頼まれなくても家事を手伝いましょう。

わたしたちは生得の特権を取り除くことはできませんが、自分と同じ特権を持っていない人たちにとってなるべく有害にならないように行動することができますし、自らの特権を利用して周りの人々のために公正な扱いを要求することもできるのです。

平等性≠公平性

同じ条件が必ずしも公正な結果を生むとは限りません。

周縁化された個人や集団に、そうでない集団と同等の権利やリソース（資源や手段など）、あるいは機会を与えたとしても、既存の差別的な制度や歴史的な不利益を消し去ることはできません。

公平性の概念は、ある個人や集団が成功するために必要とされるそれぞれに固有のリソースを考慮します。これは、人にはそれぞれ違ったニーズがあるのだということを認めるものです。抑圧されている集団がそうでない集団と同じ機会を獲得するためには、より多くのリソースが必要になるのです。

平等性と公平性の非対称性が示される例の一般的なものとしては、教室の中があります。ラーニング・ディファレンシス（学びの違い）や学習障害を持つ生徒は、多くの場合そうした困難を抱えていない子どもたちとまったく同じリソースを与えられています――同じ先生、同じ授業、同じ程度の気遣い、同じペースの学習。これでは公平な成果は生まれず、伝統的な学校制度の中で学習障害のない生徒たちに構造的な優位性が与えられることになります。学習障害のある子どもたちは、専門的な気遣い、異なる学習方法、ゆっくりしたペースの授業がなければ、学校の内外で苦労することになってしまいます。

真の平等とは、さまざまなやりかたでさまざまなニーズを満たすことを意味しているのです。

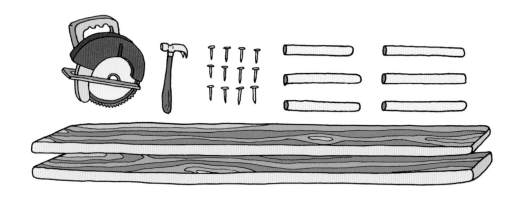

ピンク税

女性は、平均して、女性用のマーケティングが
おこなわれた同一の商品に対して、男性より7%
余計にお金を支払っています。

- 女性は身だしなみ商品代を男性より13%
  多く支払っている。
- 女性は衣類代を男性より8%多く支払って
  いる。
- 女児向けおもちゃの値段は男児向けより
  7%高い。
- 女児向け衣類の値段は男児向けより4%高
  い。

そしてサービス業の違いもお忘れなく。散髪か
らドライクリーニングに住宅ローンの利子まで、
女性はたくさんのものに対して男性よりも多く
を支払っているのです。

貧困の女性化

世界の貧困層のうち女性が占める割合は、全体の人口比率とは不釣り合いに高くなっています。貧困の影響は経済的な欠乏にとどまらず、機会、健康、教育、安全、政府および家庭における意思決定力、基本的自由および人権、資源の不足にも及びます。

さまざまな要因から、シングルマザーは世界各地で最も極度の貧困のリスクに晒される集団となっています。たとえば低賃金の仕事（世界的な男女賃金格差のため）、単一収入、パートタイム労働のための福利厚生の欠如、住居の不安定さ、健康的で安定した食事の確保の困難など。こうした大きな不公平に加えて、シングルマザーは家族の主要なケア提供者として、基本的な家事労働と情緒面でのサポートの責任を負っています。こうした要因のいくつかあるいはすべてが重なった時、シングルマザーとその子どもたちは経済的、情緒的、家庭的な安定を獲得するための困難な闘いに直面するのです。

世界規模の統計は、ほとんどがいくつかの機関によるさまざまな調査を統合させたものなので、信憑性を確認するのは困難です*。とはいえ、世界共通の貧困のパターンは明白です。

- 国際的な貧困線は1日あたり1.90ドル。
- 2016年には、アメリカ合集国では4060万人（人口の12.3%）が貧困状態にあった。
- 世界平均では、女性の収入は男性より23%少なく、女性が貧困生活を送る可能性は男性より38%高い。
- 開発途上地域の女性の75%が非公式経済（国によって課税・規制されない仕事）で働いている。
- 世界の子どもたちの14%がひとり親世帯で暮らしており、その80%は女性が世帯主である。これらの子どもたちの半数以上が貧困線の下で生活している。
- 2014年には、シングルマザー世帯の30.6%が貧困状態にあり、これはふたり親世帯の3倍である。
- ワシントンDCの場合、養育費はひとり親の最低賃金収入の103.6%にあたる（1年間の乳幼児の養育費は22631ドル、フルタイムの最低賃金給与は21840ドル）。
- 白人家庭と黒人家庭の資産の比率は10:1。
- 貧困家庭で暮らす25歳から34歳までの女性122人に対し、同年代の男性は100人となる。

*経済協力開発機構（36ヶ国）、アメリカ合衆国国勢調査、世界銀行（89ヶ国）、オックスファムによるデータ

P145における「ラテン系（ラテンアメリカ系）」と記された項には、「ラテン系白人」「ラテン系黒人」等の人種が含まれており、それらは「白人」「黒人」等の項の数字と重複する部分がある。

2016年のアメリカの人口：
- 76.6% 白人
- 13.4% 黒人
- 18.1% ラテン系
- 5.8% アジア系
- 1.3% ネイティヴ・アメリカン

貧困に陥っている女性の割合：
- 9.7% 白人
- 21.4% 黒人
- 18.7% ラテン系
- 10.7% アジア系
- 22.8% ネイティヴ・アメリカン

貧困状態にある子どもの割合：
- 10.8% 白人
- 30.8% 黒人
- 26.6% ラテン系
- 11.1% アジア系
- 25.4% ネイティヴ・アメリカン

シングルマザー家庭の割合：
- 15% 白人
- 49% 黒人
- 26% ラテン系
- 11% アジア系
- 10.2% ネイティブアメリカン

貧困に陥っているシングルマザー家庭の割合：
- 30.2% 白人
- 38.8% 黒人
- 40.8% ラテン系
- 20.0% アジア系
- 42.6% ネイティヴ・アメリカン

この人たちに注目：
サパティスタ

サパティスタ軍民族解放軍（EZLN）は、メキシコの最貧州のひとつ、チアパスの先住民族たちの左派組織です。メキシコの農村コミュニティを平和的な戦術で守ることを目指す秘密組織として生まれましたが、必要な時には暴力的な行動に出ることもあります。サパティスタスと呼ばれるチアパスの女性たちは、伝統的には公の場に出たり運営組織に携わったりするよりも家庭内に収まっているべきとされ、権利をほぼ与えられていませんでした。しかしながら過去30年のあいだに、女性の権利を優先し、意思決定権の大半を女性に与える自立した組織が築き上げられてきました。

サパティスタは「女性革命法」を可決し、1994年1月に発行しました。そこには以下のように書かれています。

1. 女性は、人種、信条、肌の色、所属政党を問わず、自分の望みと能力が決定するあらゆる方法で革命闘争に参加する権利を有する。
2. 女性は、働く権利と公正な給与を受け取る権利を有する。
3. 女性は、自分が生み、世話をする子どもの数を自分で決める権利を有する。
4. 女性は、自由かつ民主的に選挙で選ばれ、地域社会の課題に携わり、役職に就く権利を有する。
5. 女性とその子どもたちは、自分たちの健康と栄養摂取を最優先で気遣う権利を有する。
6. 女性は、教育を受ける権利を有する。
7. 女性は、パートナーを選ぶ権利を有し、結婚する義務はない。
8. 女性は、親族からも他人からも暴力を受けないでいる権利を有する。
9. 女性は、組織の指導的地位に就くことができ、革命的武装勢力における階級を有する。
10. 女性は、革命法と規則に詳述されているすべての権利と義務を有する。

これらの法律の実現が可能になった要因のひとつに、お酒（とドラッグ）の禁止があり、当地では現在も禁止のままです。社会からアルコールを無くしたことで、女性に対するドメスティック・バイオレンスが大幅に減り、EZLNの人々が共同で使えるささやかな活動資金が用意できるようになったのです。

EZLNの本質的な基盤は、コミュニティ内部での女性の権利がメキシコ政府からの承認と権利を求める闘いに統合されてきたことにあります——女性の権利がさらに大きな闘いに勝利を収めるために重要だということを、人々は理解していました。ラモーナ司令官（EZLNの指導者であり創設者のひとり）が亡くなった際、仲間のマルコス副司令官は「世界は新しい世界を産む女性のひとりを失った」と述べました。

静かなる南部の流行病

ブラックおよびラティーノ男性コミュニティにおけるHIV/AIDS

1980年代、AIDSの流行は深刻な医学・政治、社会問題のひとつでした。それは当時のゲイ・コミュニティを荒廃させ、膨大な数のホモセクシュアルおよびバイセクシュアルの男性に加え、静注薬物使用者やセックスワーカーの命も奪いました。そして、この病気に関する情報や医療をどの程度利用できるかは、かつても現在も、人種、階級、地域次第で差があるのです。

80年代にAIDSとの闘いが始まり、病気の進行を抑制するHIV治療薬が開発された後、多くの人々がHIV/AIDS危機はほぼ収まったものと考えてきました。**この思い込みは間違っているだけはなく危険です。**現在、アメリカ合衆国では、特に南部の地域でHIVと診断された人の割合が高く、2016年の新規HIV感染者の50％がこの地域の人々となっています。

男性とセックスをする男性（MSM）のうち特にブラックとラティーノの人々のあいだでのHIV感染率は高く、黒人男性の2人に1人、ラテン系男性の4人に1人が生涯のうちに男性との性交渉を通じてHIVに感染するとされています。MSMの多くは、ゲイあるいはクィアを自認していません。疾病対策センター（CDC）の研究は、これらの数字が南部のものだとは明言していませんが、アメリカ合衆国で最もHIV感染率が高い地域が南部であることは認めています。

この感染率の高さは、不適切な性教育、保守的な法律、宗教的および制度的な同性愛嫌悪などの影響によって引き起こされたものです。治療のための経済的・医療的資源が限られていることに加えて、これらの要因が、人々が（感染率を抑えるための）予防治療と感染した後の治療の両

方を受けるにあたっての大きな障害となっています。

不法滞在にあたるなどで市民権がないラティーノの男性はさらなる問題と直面します。市民権の状態や保険がないことを理由に治療を受けることができず、もしできたとしても英語がうまく話せない場合もあるのです。性的な経験を誰かに明かすことはそれだけですごく親密な行為であり、そうした極めて個人的な情報の共有を、言語の壁がさらに妨げてしまいかねません。

この地域では、クィアやゲイのアイデンティティが未だ広く白眼視されており、恥と秘密の文化が存在しています。わたしは南部で育ち、現在も南部に住んでいます。ここの学校での性教育は、たいてい禁欲を説くだけです。ストレートのセックスすら認められない環境で、安全なクィア・セックスをして、自分の性的指向に適した体と心の健康のための医療サービスを利用することがどれだけ難しいか、想像してみてください。

南部はアメリカ合衆国で最も信仰の厚い地域です。宗教的なコミュニティの多くでは、自分がLGBTQ＋であったりHIV陽性であったりすることを公表するのは非常に困難です。とはいえ、個人的にスピリチュアリティ／信仰を持つことは、ブラックおよびラティーノのMSMのあいだで健康に良い影響を及ぼすことが観察されています。

アメリカ合衆国におけるHIVについての統計
（2016年、CDC調べ）：

- 1981年以降、1232246人がAIDSと診断

されている。

- HIV 感染の63％がMSM人口に発生している。
- 南部では10万人あたり18.5人がHIVに感染している（他のどの地域よりも高い）。
- ブラックのMSMおよびゲイの男性は、アメリカ合衆国で最も高いHIV感染率を示しており、若いMSMの新規感染の55％を占

めている。

- 新たにHIVと診断された人のうち21％はラティーノで、そのうちの85％をMSMが占めている。

これらの数字は控えめに言っても由々しきものです。この問題にもっと光が当てられ、事態が改善に向かっていくことが望まれます。

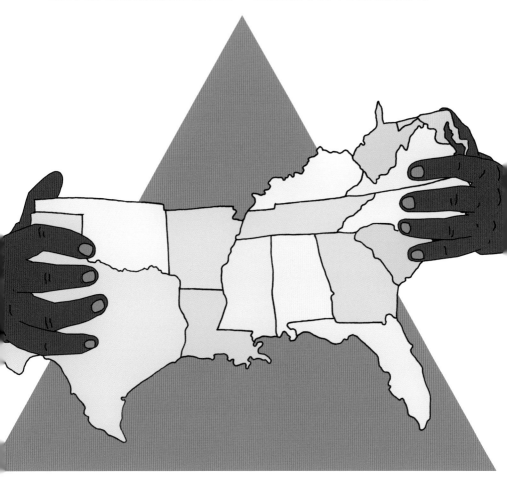

公共施設のプライバシーと安全法

(HB2法案)

政府がクィア、トランス、ジェンダー・ノンコンフォーミングの人々を差別するやりかたは、数え切れないほどあります。そのうちのひとつ、2016年にノースキャロライナ州で可決された「公共施設のプライバシーと安全法」は、人が出生証明書に記載されている性別の公衆トイレを使うよう強制し、自分のジェンダーに合ったトイレを使用することを禁止するものです。すなわち、トランスジェンダー男性は女性用トイレの使用を強制され、逆もまた然りということです。

「地方教育委員会は、学生用のすべての多目的トイレや更衣室を、学生の生物学的な性別に基づいて使用されるよう指定し、運用しなければならない」
——公共施設のプライバシーと安全法、ノースキャロライナ州議会

この不条理な法律について少し。これは分析に値するし、日常的にトイレでじっと見られているノースキャロライナ州出身のジェンダークィアであるわたしにとっては、すごく身近な問題でもあります。議員たちはこの法律が保護を目的としていると主張していますが、これはただ単純に、深刻に、トランス嫌悪的です。議論の本質はさておき、それが誰であろうと基本的欲求を満たすために公共施設を使用するのを禁止することは差別的であり、間違っています。政府はトイレの使用を制御してジェンダーバイアスを強化するべきではありません。

HB2法の背後にいる議員たちは、この法律を制定する主な理由に、トランスジェンダー女性（議員たちの目には男性）が加害者的な目的のみから女子トイレを利用してシスジェンダーの女性を危険に晒しているという恐怖があると主張しています。しかし、目に見えてトランスジェンダー女性とわかる人が男子トイレを利用するのはものすごく怖いことであり、時にはかなりの危険も伴います。女性を守るための努力だと主張する法律は、トランスを危険に晒しています。この法律が施行されると、トランスジェンダー男性は女子トイレを使うことを余儀なくされます。したがって、人々が似た者どうしでトイレを使うようにするという法律は、実際には逆のことをして、男性に（そう、トランス男性は男性です）女子トイレを使用させているのです——これこそもともと怖れられていた事態ではないでしょうか。

公衆トイレの利用は基本的人権です。何であれ個人がそれぞれ自分にとって快適なトイレを選べるようにしていきましょう。

「セックスワーク」は
よくない言葉ではない

「『セックスワーク』は、セックスや性的行為の取引を指して用いられる広義の言葉である。セックスワークは『売春』をスティグマ化せずに示す用語としても使用されている。(…)『セックスワーク』という言葉を使うことで、セックスワークは仕事であるという考えかたが強まり、労働者の権利や労働条件についてより深く議論することが可能になる。ただし性風俗産業に従事するすべての人が自分自身をセックスワーカーと定義し、性的取引を仕事とみなしているわけではない。自分のしていることを労働とは捉えずに、必要なものを手に入れるための単なる手段として考えている人もいるかもしれない。また、ポルノやエキゾチック・ダンスなど合法的な労働条件の範疇で活動していて、違法または非公式な形態のセックスワークと関連づけられるのは避けたいと考えている場合もあるだろう。性的サービスを金銭と交換するのに加えて、人はセックスや性行為を、食料、住居、ホルモン、薬物、贈答品その他の資源など、自分が必要としているものや欲しいものと交換することもある。『サバイバル・セックス』は、生存に必要なもののためのセックスの取引を説明するのに、多くの非営利団体や研究者が使用している用語である」
──「意義深い仕事　性風俗産業におけるトランスジェンダー経験」、2015年、エリン・フィッツジェルド、サラ・エルスパス・パターソン、ダービー・ヒッキー（チェルノ・ビコ、ハーパー・ジーン・トビンと共に）＝著

セックスワークは人類史上最古の仕事とまでは言わずとも、最初期から存在している仕事のひとつには違いありません。セックスの取引はさまざまなかたちで古代からおこなわれてきました。時が経つにつれ、セックスワークはごくありふれた、時には祝福されることさえあるものから、不名誉とされるものへと変化してきました。

留意しておくべき重要な点は、セックスワーク<ruby>は仕事<rt>ワーク</rt></ruby>だということです。たとえば店員や建築士やフリーライターでいるのと似たようなひとつの職業です。わたしたちはみんな、不運なことに、生活のために働かなければいけません。

自分の仕事を愛している人もいれば、嫌っている人もいます──セックスワークをしている人も同じです。悲しいことに、セックスワークは一般に誤解され、非難され、犯罪化されており、セックスワークをする人は、好きでしていようが必要からだろうがその両方だろうがお構いなしに、危険に晒されることが多いのです。セックスワークと人身売買を混同しないことが大切です。両者には決定的な違いがあります。セックスワークは大人どうしの合意の上でのやりとりであり、人身売買は暴力、拉致、または強要によって弱者を性的搾取する人権侵害です。セックスワーカーは人身売買を容認していません。

セックスワークは非常に意見の分かれやすい問題です——セックスワークが抑圧、性暴力、女性の体の商品化を助長していると信じている人もいれば、セックスワークは合法的な労働形態であり、合意の上での性的表現はたとえヘテロノーマティヴな規範に反するからといって誹りを受けるべきではないと信じている人もいます。これは複雑な問題であり、インターセクショナリティと密接に結びついています。人がそうした仕事に就く理由やそこでの経験は、人種、ジェンダー、階級、地理的な条件、心の健康など次第で大きく異なるでしょう。年間50万ドルを引っ張ってくることができる高級エスコートから、暮らすのも精一杯な街娼まで、その立場もさまざまです。

有色人種のセックスワーカーは性的および精神的暴力の被害者となる危険が高くなります。これは有色人種のトランス女性、薬物使用者、不法滞在者をはじめ、性差別と構造的な不平等から住居と他の仕事を手に入れることが難しい結果セックスワークに従事している人々にとっては特にそうです。それは時に危険な仕事です。キャスリーン・N・ディアリングらの2012年の研究によると、45%から75%のセックスワーカーは、仕事において顧客や売春斡旋業者やヒモ、そして法執行機関からの性暴力を受けたことがあるとみられるそうです。ほぼすべてのセックスワークが犯罪とされているため、必要な医療や社会福祉を利用することがなかなかできず、この仕事をする人の権利に対する法的保護もほとんどありません。さらに暴力やレイプの被害を受けても、自分が逮捕されることを怖れてなかなか被害を報告できません。

安全手続きの導入を条件に売春宿を合法化したアメリカ合衆国

ネバダ州から、セックスワークを非犯罪化すると同時に性的サービスの購入を違法化したカナダまで、世界にはセックスワークを合法化／非犯罪化するためのモデルがいくつか存在しており、それがどの程度成功しているかもさまざまです。理論上、後者のモデルでは売り手に労働条件を決定する完全な権限が与えられますが、隠れて仕事をおこなわなければならないため、セックスワークが地下に潜ってより危険になってしまう怖れもあります。

あなたが賛同しようがしまいが、セックスワークはありとあらゆるところに存在しています。そして、存在する以上は、それをおこなう人々に医療を保障する基本的人権、性暴力に対する法的措置、安全な住居が与えられるべきであり、セックスワーカーのしていることは実際のところ仕事なのだと認められるべきです。こうした仕事をしている人たちを非難したり偏見を抱いたりするのをやめて、セックスワークについてスティグマ化されていないやりかたで話しはじめることが求められています。

赤い傘はセックスワーカーの権利運動の世界的なシンボルです

この事件に注目：
ストーンウォールの反乱
（1969年6月28日）

1961年：同性愛は、イリノイ州を除くすべての州で（明白に非合法ではなくとも）犯罪とされていました。イリノイ州は、1961年にソドミー法を廃止することで、「同性愛行為を非犯罪化」した最初の州です。

1969年6月28日午前1時20分：クィアの歴史における革命的瞬間。

当時のニューヨークでは、ゲイバーにも（1966年より）酒類販売ライセンスの取得が認められていましたが、キス、タッチ、身体接触を伴うダンス、異性装などの「ゲイ行為」によって逮捕されてしまう危険が依然としてあり、警察の手入れはしょっちゅうでした。ストーンウォール・インは、そうした人々が公然と踊れる数少ないバーのひとつでした。ストーンウォール・インはただの酒場ではなく、ほとんどのゲイバーがドラァグをしている人の入場を許可しておらず、家族に拒絶されてホームレスになってしまった若者のためのコミュニティセンターも存在していなかった時代に、クィア、ホームレス、トランスジェンダーの若者、ドラァグ・クイーンが行くことのできる、安全で社会的な地域コミュニティ空間だったのです。

他のゲイバーが相次いで閉店したのに続いておこなわれた、6月28日のいつもの警察の手入れは、6日間にわたる暴動に発展しました。ストーンウォールの客たちは黙っていませんでした。暴力的に逮捕された女性が「あんたたちなんとかしたらどうなのよ？」と叫ぶと、膨らんでいた傍観者たちの群れは、なんとかしたのです。警察はいつも、クィアのコミュニティはどうせ反撃してこないだろうとたかをくくっていまし

た――人々は恥と恐怖ゆえにおおっぴらな抗議活動はしないだろう、あるいはゲイ男性は反撃するには女々しく弱くおとなしすぎるだろう、と。2日目の夜には1000人を超える人々が抗議のために集まりました。暴動に参加した顧客のマイケル・フェーダーはこう言いました。「特別な雰囲気だった。ずっと手に入らなかった自由、私たちはそのために闘うんだ。さまざまなやりかたがあったけれど、要は、ここから立ち去るもんか、と。そして私たちは立ち去らなかった」

6日のあいだ、ストーンウォール近隣では、投石、歌うドラァグ・クイーンたち、抗議者を殴る警察、警察を殴る抗議者、通り過ぎようとする車を揺らす抗議者、破壊槌として使用されるパーキングメーター、ゴミ箱の火事、そしてカンカン踊りが見られました。クィアの人々は、どこであろうといいダンスパーティーを開くことができるのです。

ストーンウォールの反乱は終わりを迎えましたが、この出来事に刺激を受けて公の場でのゲイの権利運動がはじまり、ゲイ解放戦線やゲイ・アクティヴィスト・アライアンスが誕生して、暴動の翌年には最初のゲイ・プライド・パレードが開催されました（当初はクリストファー・ストリート解放記念日という名称でした）。

2003年6月26日：同性愛が最後の14州で非犯罪化されました（ヴァージニア州、ノースカロライナ州、サウスカロライナ州、アラバマ州、フロリダ州、ミシシッピ州、ミズーリ州、ユタ州、ルイジアナ州、テキサス州、オクラホマ州、アイダホ州、カンザス州、ミシガン州）。

2016年6月24日：ストーンウォール・インが
アメリカ合衆国のナショナル・モニュメント〔国
定記念物・国定史跡〕に指定されました。LGBTQ+
の歴史に捧げられた初のナショナル・モニュメ
ントです。

ストーンウォール・イン

LGBTQ+は一枚岩ではない

「正直なところ、認めたくないけれど、僕はゲイ・コミュニティに浸っていない。だから僕は物を知らないんだ。正しい代名詞もわからない……正直言って、自分はバカだなあと思う。いつもトランスの人たちを見ていて『なんで？ すごくお金がかかるし、本当に痛いのに、どうして自分をそんな目に遭わせるの?』と思っていた。性別適合手術は一見トラウマになりそうな経験だし。実際に手術を受けて変化を感じることの意味を、僕は全然わかっていなかった。世の中には僕のように無知でわかってない人がいっぱいいる。おそらくほとんどのストレートの人たちは、僕らがLGBTQ+だからという理由で、お互いの苦境を理解しているに違いないと思っているんじゃないか。でも、それは大間違いだ」
――『クィア・アイ』のタン・フランス、シーズン2／エピソード5に出演するトランスジェンダー男性、スカイラーとの対話で

ストレートの人々とクィアの人々の双方によくある誤解として、LGBTQ+コミュニティのうち全部の区域が重なり合い、互いに交流し、頻繁に空間を共有しているに違いないという考えがあります。これは、たいていの状況で間違っています。わたしはすべての人を代弁することはできませんが、しかしクィアであるわたし個人の生活において、ゲイの男性やトゥー・スピリットの人々、またはレズビアンを自認する人は周りにおらず、シス女性やジェンダークィア、トランス*（註を参照）を名乗る人はたくさんいます。

これは当然の話です。どんな種類のものでも、誰かがある包括的なアイデンティティの分類に当てはまるからといって、一般にその同じアイデンティティ内の他の区域すべての人々と交流しているわけはなく、それで別に問題ありません。なので、LGBTQ+コミュニティの人と話す時は、その人が同一の広いコミュニティ内に含まれる他の人たちの経験には、個人的に親しみがないかもしれないことに留意してください。LGBTQ+界の広大な領域には、これから成長し、ものすごく多様な経験を理解していく余地があるのです。

『クィア・アイ 外見も内面もステキに改造』：Netflixで2018年より配信されている人気リアリティ番組。「ファブ5」と呼ばれる、それぞれに得意な専門分野を持つゲイとノンバイナリーの5人組が、一般からの依頼人を変身させ、悩みを解決する。

タン・フランス：イギリスのパキスタン系移民3世としてムスリムの家庭に育ち、服飾デザイナーとして活動。『クィア・アイ』にファッションのエキスパートとして出演し、人気を集める。回顧録に『僕は僕のままで』（邦訳：集英社／安達眞弓=訳）。

註：一部の人々はトランス*（アスタリスク付き）を、すべての非シスジェンダーのアイデンティティを包括的に示す用語として使います。しかし、トランス（アスタリスクなし）は通常、トランスジェンダーを自認する人を指します。

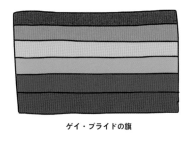

ゲイ・プライドの旗

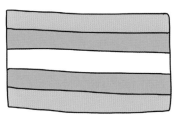

トランスジェンダー・プライドの旗

アセクシュアリティの旗

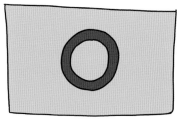

インターセックスの旗

カミングアウト運動の危険性

もしあなたが自分のジェンダーやセクシュアリティを公にしても安全だと感じられない環境にある場合、**もっと安全になるまで自分を守っていていいのです。**

カミングアウト（カムアウト）する勇気を過度に讃え、あたかもそれをクィア・コミュニティに入るための黄金の鍵であるかのようにみなす傾向があります。友達や家族やもっと大きなコミュニティに自分の攻撃されやすい部分を晒すのは勇気ある行動ですが、カミングアウトが社会的な圧力からおこなわれた場合、深刻かつ危険な状況に陥ってしまうこともあります。カミングアウトしてはじめてわたしたちは完全体に、自由に、自分自身に正直になれるのだ、といった言説は珍しくありません。しかし、わたしたちはいろいろなやりかたで完全な自分になることができるのです。わたしたちはそれぞれにさまざまな自分の公になっていない側面――トラウマ、秘密、恐怖、わたしたちの体――を持っており、それらはいずれかの時点で明るみに出るかもしれませんし、出ないかもしれません。

クィアやトランスジェンダーの人々が可視化され、認知され、尊重されることはものすごく重要です。しかし、カミングアウトの物語の顔となるのは、これまでだいたいのところ社会的特権を持つ人たちばかりでした。クィアやトランスジェンダーの人々は、どんなコミュニティの一員だろうと、そのジェンダーまたはセクシュアリティが公になった時に否定的な反応や扱いを経験する可能性があります。とはいえ、そのうち人種、階級、地理的な条件など他のかたちでの疎外を経験しているクィアの人々は、職場での差別、身体的・性的暴力、ハラスメント、オンラインでのいじめ、愛する人からの拒絶、不安定な住宅事情など、カミングアウトによってさらに厳しい結果に直面してしまうことがとりわけ珍しくないのです。

もしあなたがまだ公にはカミングアウトしていない人を知っていたら、その人が他の人々にも伝える準備ができるまでサポートしましょう。プレッシャーをかけたり、まるでカミングアウトがクィア・コミュニティへの入場料でもあるかのようにほのめかしたりしないでください。公的な可視性にあまりにも大きな価値を置きすぎることは、カミングアウトした際の身の安全や、生活の安定が保証されているという特権を持たない個人を傷つけてしまう危険があります。

あなたはそういった人たちをただサポートし、あなたを信じてすごく個人的な経験を教えてくれたことを喜べばいいのです。

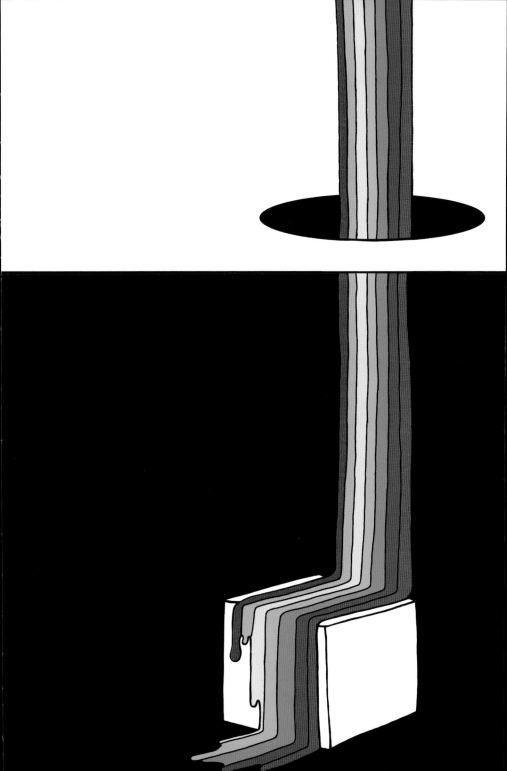

マシュー・シェパード は、1998年10月6日、ワイオミング州ララミーの田舎で殴られ、拷問され、そのまま柵の支柱に縛り付けられて死んだゲイの男性です。彼は発見された時点では生きていましたが、負傷に倒れ、6日後に亡くなりました。

彼の死をきっかけに、LGBTQ+コミュニティに対するヘイトクライムに注目が集まり、マシュー・シェパード法（正式にはマシュー・シェパードとジェームズ・バード・ジュニアのヘイトクライム防止法）が制定されました。これはヘイトクライムの法的な定義を正式に拡大するもので、被害者の（認識された）ジェンダー、性的指向、ジェンダー・アイデンティティ、障害を動機とした犯罪が含まれるようになりました。

犯人の動機が同性愛嫌悪だったのか薬物の影響だったのかについては意見が分かれており、真相は今なお完全には解明されていません。何はともあれ、シェパードは反ヘイト犯罪法のための闘いにおける重要な人物となっています。

広告

ジェンダー・ステレオタイプは、かつても現在も常に広告の世界の至るところに存在します。それらの一部は、テレビコマーシャルや雑誌の広告に慣れ親しんでいるわたしたちの目にはっきりと見えます。たとえば細い、日焼けした白人女性が、まったく関係のない商品、たとえばビールを宣伝するためにビーチに横たわっています。ミニカーで遊ぶ幼い少年たち。スポーツカーを運転する男たち。掃除をする女性たち。女性に色目を使う男たち。筋肉隆々の男たち。主婦の女性たち。白人たち。

わたしたちは広告がいかにあからさまにジェンダー規範をわたしたちに向かって投げつけてくるかを認識しています。それに加えて、広告は他にもいろいろなやりかたで意識下に働きかけ、女らしさと男らしさの役割を強化します。広告は、わたしたちが正しいものを購入すれば、より細く、より強く、より美しく、よりハンサムに、よりお金持ちに、よりセクシーに、より賢くなれるのだと教えます。わたしたちは自分のジェンダーの型に収まり、そして／あるいは異性にとってもっと魅力的になるでしょう。**広告は不健康なジェンダー規範を持続させ、わたしたちのジェンダー役割の見方に、すごく大きく長続きする影響を与えることができるのです。**

1911年、世界は「セックスは売れる」ということを理解するようになりました。ウッドベリー石鹸会社の印刷広告では、男性に抱かれている女性の画像に、「触りたくなる肌」という宣伝文句が添えられていました。これは女性をモノ化した最初の大型広告でした（なんと画期的なことか）。この広告は、女性の肌はまず男性が楽しむためのものであり、彼女自身の楽しみは二の

次で、したがって彼女は彼の欲望を満たすために作られているのだと暗に伝えています。

自分自身がマスメディアでモノとして描かれているのを見ることは、自分はモノなのだと信じることにつながります。こうした自己のモノ化の経験は、あらゆるジェンダーおよび体型の人に起こっていることでしょう。しかし、その影響を主に受けるのは、自分たちが男性の快楽のために使われる、非現実的で非人間的な体としてメディア上で描かれているのを目にする女性たちです。

広告において人体は、常に特定のメッセージをそれとなく見聞きする者に送るために利用されています。女性のモノ化は女性に商品を売ろうとする際にはあまりうまく働きませんが、ジェンダー化された美の基準を維持させるには効果的です。これと似たように、広告におけるハンサムで筋肉質な男性像は、男らしい男であるためにはジムで1日8時間を費やす必要がありそうな体をしていなければならない、という考えかたを強化します。大きな体型の人々が出てくる広告にはたいてい恥と非難が混ざっており、太った人々に対する内面化された差別を引き起こしています。

わたしがここまでまだ広告におけるジェンダー・ノンコンフォーミングの人々に言及していないのは、それがこれまでの歴史上ほとんど登場してこなかったからです。ジェンダー・ベンディング〔gender-bending／ジェンダーにおけるステレオタイプ的規範を「曲げる（bend）」ような試みのこと。80年代には異性装および性別不明の装いをする人を指してジェンダー・ベンダー（gender bender）という語がよく使われた〕の数少ない

例は、男性がジョークとしてドレスを着るとか、男性が他の男性を繊細すぎると言ってからかうといったものでした。ここ数年、CMや印刷広告におけるLGBTQ+の人々の可視性は高まってきています。ファッションは常に両性具有性と戯れてきましたが、最近ではファッション界におけるジェンダー・ベンディングが復活しており、それが印刷広告にも反映されています。ランウェイで自分とは異なるジェンダーの典型的な衣服を着用しているモデルの多くはシスジェンダーであるため、少々紛らわしいことになっています。覚えておいてほしいのは、ジェンダー表現は常にその人のジェンダー・アイデンティティを示しているわけではないということです（女性的な服を着ている男性は、それでも男性を自認できます）。

ノンバイナリーのモデルはまだ少なく、そうした両性的なすき間を埋める機会の多くは、性別二元論に収まるアイデンティティを持った人々に占められています。テレビや映画でシスジェンダーのアクターがトランスジェンダーの役につくのと同じように、シスジェンダーのモデルが両性具有性と戯れるために雇われているのです。これはノンバイナリーのモデルに与えられるべき仕事です。レイン・ダヴ（ノンバイナリーのモデル）、アンドレア・ペジック（トランスのモデル）、マリア・ホセ（トランスフェミニンのモデル）、アマンドラ・ステンバーグ（ノンバイナリーのアクター兼モデル）、アーロン・フィリップ（障害者、トランス、ジェンダーフ

ルイドのモデル）のような人々は、スポットライトを浴びるノンバイナリーの人々として境界線を押し広げており、これから先メディアの顔となるジェンダー・ヴァリアント〔gender variant／従来の性別二元論に収まらないさまざまなジェンダーのありかたを指す包括的な語。ヴァリアントは変異、異形の意〕の人々の長い列の最初の一群となることが期待されています。

2017年、イギリスは有害なジェンダー・ステレオタイプを助長させる広告を禁止しました。これには女性と少女をモノ化・性的客体化しているものや、不健康に痩せた体を奨励するもの、ジェンダーノンコンフォーミングの人々を嘲笑する文化を支持するものなどが含まれます。

体、人種、ジェンダーをステレオタイプ化する広告をなくすにはまだまだたくさんの取り組むべき課題があります。「かくあるべし」という広告主の押し付けに対し、わたしたちみんながなるべく影響されないよう努力することができるはずです。

ジェンダー規範

リベット工員のロージー神話

わたしたちはみんな「リベット工員のロージー」を知っています。第二次世界大戦のフェミニズムのヒーローであり、フェミニズムの一般的なシンボルでもあります。そうだよね？

うーん……そうでもないかも。

現在、この強力なイメージが意味するものとして受け取られていることは、ほとんどがフィクションに基づいています。わたしたちは例の「私たちにはできる」ポスターから、女性のエンパワメントとフェミニズムを想起します（そして、ハロウィンには毎年ジャンプスーツとバンダナを着用することになっているあの友達も）。しかし、このポスターは最初に世に出た際、エンパワメントのメッセージを伝えようとしていたわけではなかったのです。当時、女性労働者募集のポスターはたくさんありましたが（男性が戦争で不在だったので）、「私たちにはできる」ポスターは、そのうちの一枚ですらありませんでした。ウェスティングハウス・エレクトリック・コーポレーションが画家のJ・ハワード・ミラーに依頼したのは、工場の壁に貼られる、工員のやる気を出させることを目的としたポスターでした。「私たちにはできる」ポスターはそうした数あるポスターのうちの一枚で、わずか2週間の掲示期間を終えた後は、すぐに忘れ去られていました。ミラーはポスターの女性を「ロージー」と名付けすらしていませんでした。この名前は、ノーマン・ロックウェルが1943年に「サタデー・イブニング・ポスト」に描いた作品に由来しています。ロックウェル版では昼食を食べるがっしりした女性が、その足で『わが闘争』を踏みつけている姿が描かれています。彼女のランチボックスに書かれた名前は？　そう、ロージーです。

この「私たちにはできる」のイメージは、第二次世界大戦から40年を迎えた1980年代に再浮上し、すぐに力、強さ、独立を象徴するフェミニストのシンボルとして採用されました。興味深いことに、ロックウェル版よりもミラー版が選ばれたのは、このイメージが著作権保護の対象でなかったことに加え、ヒトラーへの言及が含まれていなかったゆえに、さまざまな文脈で使用しやすかったからだとも言われています。工場の中でさえもお化粧をしている、清潔な、きちんとした女性のロージーが選ばれたのは、偶然とは思えません。

ベティ・リード・ソスキンはアメリカ最高齢のパークレンジャー（自然保護官）で、カリフォルニア州リッチモンドにあるリベット工員のロージー博物館で働いています。ベティはロージーの歴史がはじまった時代に生きていましたが、プロパガンダの背後にある現実の記憶は、さほどバラ色ではありませんでした。彼女は全員黒人の、人種隔離された女性工場（ロージー）の組合の一員でした。工場は黒人女性と白人女性の人種隔離を超えた団結の場であったというイメージについて、彼女は次のように述べています。「どんな人たちから雇われていったかの経緯をご存知でしょうか。最初に戦うには年を取りすぎている男たち。次に徴兵されるには若すぎる少年たち。三番目に独身の白人女性。そして労働力のプールが使い果たされると、既婚の白人女性。黒人男性は1943年まで雇われず、しかも助手や訓練生としてのみで、採用された女性たちのために力仕事をしていました。単純労働をする黒人女性も少しはいて、他の人たちが働いているあいだに床掃除をしていました。ようやく黒人女性も溶接工として訓練を受けるようになっ

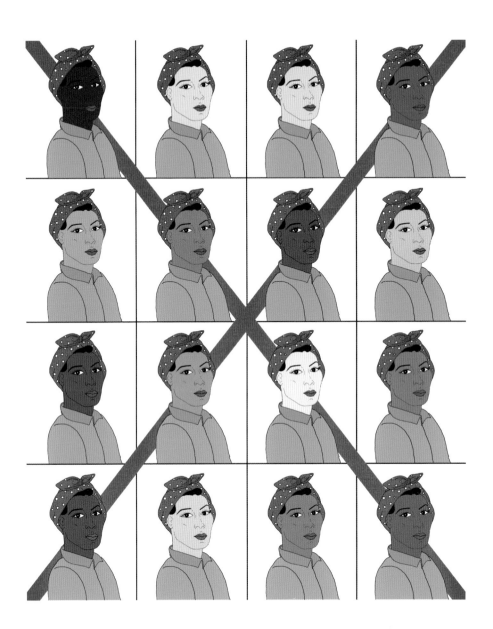

たのは、1944年の終わりから1945年の初めのことでした」

ロージーの神話の伝承には、かなりの楽観主義が込められています。それはインスピレーション、自立心、強さ、そして女性工場労働者間の

人種分離撤廃の象徴なのです——たとえそれが懐かしのホラ話なのだとしても。

リベット工員のロージー（**Rosie the Riveter**）：主にアメリカ合衆国で「強い女性」を象徴するイメージとして広く認知されている、赤に白の水玉模様のスカーフを頭に巻き、青いシャツを腕まくりしている女性像。第二次世界大戦中の工場・造船所で働く女性工員を描いたポスターに由来する。

ハンナ・ギャズビー

「力を奪われたからといってあなたの人間性は破壊されません。あなたの回復力こそがあなたの人間性です。人間性を失っているのは、自分には他の人を無力でいさせる権利があると信じている人たちだけ。やつらは弱者です。降伏しても壊れないこと、それは信じられないほどの強さなのです」
──ハンナ・ギャズビー

2018年のメディアでわたしのお気に入りとなった作品のひとつが、ハンナ・ギャズビーのスタンダップコメディ番組『ハンナ・ギャズビーのナネット』でした。わたしは最初、彼女のまじめな顔で時にダークなユーモアを楽しめる1時間を期待していたのですが、結果的にそれ以上のものを受け取りました。それは怒りと悲しみ、恥の意識と正直さを込めた深みのある主張であり、ジェンダーと精神疾患についての議論でした──しかもユーモアのカーテンのうしろからではなく、彼女はその前に出てきて、カーテンを引き裂いてみせたのです。

ギャズビーは10年以上にわたってコメディアン兼作家として活動しており、近年は『ナネット』で国際的に注目を集めています。この作品には、決して見る者を安心させようとしない怒りと真実の生々しさがあります。ギャズビーはジェンダー・ノンコンフォーミングかつクィアであり、このアイデンティティはこの公演の全編を通じて、彼女の人生の闘い、トラウマ、恥の意識、痛み、怒りの中心点として語られています。それはひとりの人間として、またコメディアンとしての彼女の自己形成に深く関わっているのです。公演の大部分が、わたしたちが自らの経験について語る際に、コメディとユーモアによって引き起こされかねないダメージについての対話です。彼女は内面化された、あるいは公的な同性愛嫌悪に伴う恥の意識と、それがいかに彼女のジョークで笑いの対象になっていったのか、すなわち痛みの開示というよりむしろ笑いどころとなったのかについて話しています。そのダメージのせいで彼女は無防備ではいられなかったし、彼女の物語が十分に複雑さを備えたまま語られることもありませんでした。

彼女はこう言います。「私は自虐的なユーモアでキャリアを築いてきたけれど、そんなことはもうしたくありません。自己卑下があらかじめ周縁にいる人から発せられた場合、どういう意味になるかわかりますか？　それは謙虚さではなく、屈辱です。私は話すために、話す許可を得るために自分を貶めてきたけれど、そんなことはもうしない。自分自身にも、私と似た他の誰かに対しても。それでコメディアンとしての私のキャリアが終わるというのなら、それで構わない」

『ナネット』は、まるで周縁化された人々が自分自身の真実を語るためのプラットフォームを持つことをメディアが認めた瞬間にわたしたちが立ち会い、さらに中へと入っていくところをカプセルに収めた番組のように感じられました。完璧にはほど遠いし、完全ではなく、すべ

てを代表するものでもないけれど、勇気ある大胆なスタートであることは確かです。

観客への彼女の最後のメッセージは、つながり、共感、学びの大切さを説いています。それはわたしがこの本で広めようとしていることと同じです——つまり、あまり語られることのない物語を提示し、目を向けられる必要がある人々を見せ、自分自身の姿が表現されるのを見たい人たちが少しでも孤独を感じずに済むようにして、学ぶ意欲のある人にさまざまな視点を教えること。

彼女の結びのメッセージはこうです。「もし昔の私が私の話のような話を聞いていたら、どうしていたでしょう。誰かを責めるためではなく、評判のためでもなく、お金のためでもなく、権力のためでもない。でも、少しでも孤独が紛れるように、つながっていることを感じるために、私は私の話を聞いてもらいたい。(…)私たちが可能な限り多くの視点から見ることを学んだら、より良い世界を描いていけると信じています。多様性は強さだから。違いは先生です。違いを恐れていたら、何も学べません」

ハンナ・ギャズビー:オーストラリア出身のコメディアン。『ハンナ・ギャズビーのナネット』は彼女のスタンダップ・コメディ公演を収録した映像作品。2018年、Netflixで配信され評判を呼んだ。

ベクダル・テスト

質問：

以下の映画の共通点は？

- 『ハリー・ポッターと死の秘宝 PART2』
- 『ロード・オブ・ザ・リング』三部作
- 『レミーのおいしいレストラン』
- 『グランド・ブダペスト・ホテル』
- 『アバター』
- 『リトル・マーメイド』
- 『市民ケーン』
- 『ソーシャル・ネットワーク』
- 『ファインディング・ニモ』

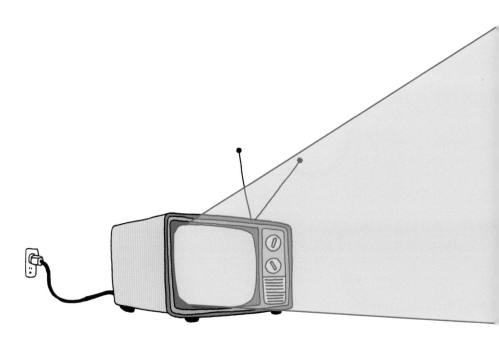

アリソン・ベクダル：アメリカ合衆国ペンシルバニア州出身の漫画家。レズビアンたちの日常を描く新聞連載漫画『ダイクス・トゥ・ウォッチ・フォー』は1983年から2008年まで続いた。自伝グラフィック・ノベル『ファン・ホーム ある家族の悲喜劇』（邦訳：小学館集英社プロダクション／椎名ゆかり＝訳）は舞台化され、2015年のトニー賞で最優秀ミュージカル賞を含む5部門を受賞。

答：

ここに挙げられた映画のいずれにも、名前のついた女性キャラクターふたりが男性の話題以外（場合によってはオスの魚の子どもについて以外）で会話する場面がありません。

ベクダル・テスト（またはベクダル・ウォレス・テスト）は、もともと1985年にアリソン・ベクダルが考案し、彼女の漫画『ダイクス・トゥ・ウォッチ・フォー』に描いたジョークでした。今日、このテストは、映画、ゲーム、テレビにおけるフェミニズムと女性表象を判定する基本的な尺度として、多くの映画評論家に用いられています。

たとえばノンフィクション映画、特定の設定の映画（男子刑務所とか）、基本的に登場人物がひとりしかいない物語など、あきらかにこの規準が適用できない映画もあるでしょう。またこのテストは、あらゆる領域においてジェンダーが平等に表象されているかどうかにはまったく関係がないし、非男性キャラクターに深みがあるかどうかを測りもしません。

bechdeltest.com のデータベースに掲載されている映画（19世紀まで遡る）のうち、このテストに合格するのは58％だけです。このテストは指標としてまったく不十分なのだけれど、それでも映画史におけるジェンダー表象がものすごく不平等だったことを示すものではあるのです。

フランク・オーシャン

フランク・オーシャンはここ10年で最も人気のあるクィアのミュージシャンのひとりとなりました。心揺さぶる繊細な歌詞とさまざまな音楽ジャンルを創造的に融合させた曲で知られる彼は、ビヨンセ、ジョン・レジェンド、ブランディなどの大物アーティストのソングライターとして頭角をあらわしました。彼は2011年頃に初のミックステープ『ノスタルジア・ウルトラ』をリリースし、ソロ・アーティストに転身しました。

2012年に初のフルアルバム『チャンネル・オレンジ』でデビューする前、オーシャンはTumblrに「男性に恋をしたことがある」ことを明かす公開書簡を投稿して、公にカムアウトしました。この正直で飾り気のない発表が、彼が自身のセクシュアリティに言及した唯一のコメントで、この手紙の中ですら彼は自分自身がどのセクシュアル・アイデンティティを持っているのか、はっきり名指してはいません。

クィアネスはオーシャンの音楽とキャリアの中心にあるわけではないものの、確かに彼の音楽に正直かつ思慮深いやりかたで織り込まれているアイデンティティです。多くの曲が初恋や報われない恋を扱い、親密性の複雑さについて打ち明けています。オーシャンはフレディ・マーキュリーやボーイ・ジョージのようなクィアネスを大声で叫ぶ人ではありません。彼は自分の歌詞で曖昧さを許容したうえでそれを奨励し、自分自身にレッテルを貼ることを拒否しているのです。

フランク・オーシャン：1987年生まれ、アメリカ合衆国ルイジアナ州育ちのミュージシャン。2010年にロサンゼルスを拠点に活動するヒップホップのコレクティヴ、Odd Futureに加入。2012年にデビューアルバム『チャンネル・オレンジ』を発表し、グラミー賞では6部門にノミネート、アーバン・コンテンポラリー・アルバム賞など2部門で受賞。

今この瞬間あなたのジェンダーに いちばん合う／それを説明するものは？

ジェンダー表現およびジェンダー・アイデンティティの多くが体を基盤にしています——わたしたちの体の形態、衣服、メイク、社会集団、名前、そしてどんなふうにふるまうか。はたして人は自分自身の外側にある自分のジェンダーを示すものに結びつきを感じているのか、個人的な知り合いではないかたがたにお願いして質問に答えてもらいました。

名前：セコイヤ　**年齢：**6歳
ジェンダー・アイデンティティ：まだよくわからない。有名なジェンダーの両方。男の子と女の子。
今この瞬間あなたのジェンダーにいちばん合う／それを説明するものは？：願い。

名前：ベン　**年齢：**53歳
ジェンダー・アイデンティティ：FTM（女性から男性へ）
今この瞬間あなたのジェンダーにいちばん合う／それを説明するものは？：カリフォルニア州の運転免許。髭を生やした私の顔、出生時の名前、性別欄には「F（女性）」と記載されています。

名前：アイク　**年齢：**21
ジェンダー・アイデンティティ：男
今この瞬間あなたのジェンダーにいちばん合う／それを説明するものは？：クローゼットの中の「女性用」Tシャツ。何ヶ月か前、この大きめで黄色いクロップドTシャツを買った。袖を切って下の部分に赤い炎を描いた（ちょっと映画『キル・ビル』の黄色い車みたいな感じ）。以来、それはずっと洋服棚の中にしまってある。僕はすごく毛深い男で、生まれてこのかた行動においても人間関係においてもずっとヘテロノーマティヴだった。何年か前、本当に鬱になってしまったのをきっかけに、自分のセクシュアリティとジェンダーを含むあらゆることを疑いはじめた。今でもまだ自分の（ジェンダー関係の）アイデンティティがわからないし、型通りの男性的ふるまいを壊したくて、いろいろな新しい服を試そうとしている。でもまだうちのクローゼットに住んでる黄色いクロップドTシャツを外で着る勇気がないんだ。

名前：アリソン　年齢：32歳
ジェンダー・アイデンティティ：ジェンダー・ノンコンフォーミストのシスジェンダー女性
今この瞬間あなたのジェンダーにいちばん一致する／それを説明するものは？：私のジェンダーはロードバイク。特に私のドロップハンドル式のミッドナイトブルーのジャイアント・ペロトン。私はひとりの障害者としてこれを選びました。自転車は、体重や荷物の重みによる痛みに耐えながらひとりで歩くのに比べて、すごい快適さと自由を私にもたらしてくれます。それはまるで移動支援機器の一形態のようなものです。私はここにいて、私はクィアで、私の慢性痛は苛烈！　おかげで私はほぼ両性具有者のようになっています。自転車に乗っている人は誰でもひとりのサイクリストに過ぎません（特に私の快適でセクシーなスパンデックスのウェアを着ているとね）。私は自転車が私にもたらしてくれる匿名的で両性的な見た目が大好きなんです。

名前：匿名　年齢：21
ジェンダー・アイデンティティ：男性
今この瞬間あなたのジェンダーにいちばん合う／それを説明するものは何？：僕のデニムジャケット！　ママのおさがりの90年代もので、僕が高校生の時にくれたんだよね。お気に入りのアイテムなんだ。クールなバッジとパッチがつけてある。これをママがくれたってことがありがたい――僕はよく自分の人生におけるネガティヴな面の多くはママに責任があると思ってしまう。特にゲイのトランス男性だとカムアウトした時の怒りに満ちた反応のせいで。でも、このジャケットは彼女の僕への愛情の重要なシンボルのように感じるし、これから先、彼女が僕を受け入れるにつれて愛が育っていけばいいと思う。つまり、僕のジャケットは僕の人生、アイデンティティ、未来に関して最も重要ないくつかのことを象徴しているんだ――僕のママ、僕のコミュニティ、僕のコミュニティの歴史、そして僕自身。僕がこのジャケットに飾りをつけて、自分自身のものにした。僕のジャケットは……僕、僕のジェンダー、僕のゲイ／トランス／ラティーノとしての自己が、ひとつの（スタイリッシュな、時を超えた）アイテムにあらわされているんだ。

名前：アーロン　年齢：18歳
ジェンダー・アイデンティティ：トランス男性
今この瞬間あなたのジェンダーをいちばんよくあらわ
しているものは何？：いまこの瞬間の自分のジェンダー
は、長い、長いドライブの途中で立ち往生していて、
景色は美しく、この旅に怒ってはいないけれど、もう
この車にあまりにも長く乗りすぎていて、着ている服
は合わないし、背中は痛むし、次の休憩所はまだ73
マイル先で日が暮れるまでに辿りつけないだろうと思
う、そんな感じ。

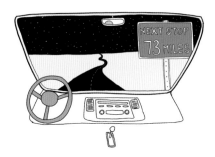

名前：ヴィクトリア　年齢：30歳
ジェンダー・アイデンティティ：フェム
今この瞬間あなたのジェンダーをいちばんよくあらわ
しているものは何？：親になってからほとんどの日は
このヘッドスカーフを着けています。出産は私の体を
変え、いろいろな意味で壊しました。どの服が合うか
は毎日変わります。壊れた体と気分障害を抱えながら、
持病がある子どもに付き添っているうちに髪はボサボ
サです。このシンプルなヘッドスカーフはいつもぴっ
たりだし、自分がクィアでフェムでタフなのだと感じ
させてくれます。もしかしたら私を人目につくように
すらしているかも。

名前：ジェイド　年齢：20歳
ジェンダー・アイデンティティ：ノンバイナリー・トランスボーイ
今この瞬間あなたのジェンダーをいちばんよくあらわしているものは
何？：おばあちゃんのものだった小さなクリップオンの薔薇のイヤリン
グ。自分がトランスだとわかったあと、自分の見せかたを男性的に変え
ていくのは本当にいい気分で、自信がつきました。でも、私はまだおば
あちゃんのイヤリングみたいな、伝統的に「女性的な」アイテムに愛着
を感じるんです。彼女は私にとって本当に特別な人で、人生のスピリチュ
アルな要素には矛盾がなく、常にそれ自体のバランスを取り戻してゆく
ものなのだと教えてくれました。このイヤリングをつけると、彼女が生
きていた頃に与えてくれたまばゆいばかりの平穏と愛を感じられるし、
超ショートヘアと男の子の服に合わせれば、100％いたずら好きのクィ
アな自分自身でいられるような気がするんです。たとえおばあちゃんが
私のアイデンティティを完全には理解していなかったとしても、彼女は
きっと私がついに私自身のまま幸せになれたことを喜んだはずです。こ
の旅路は困難ですが、彼女が今も私と共にあることを嬉しく思います。

名前：AC　年齢：11歳
ジェンダー・アイデンティティ：ノンバイナリー／Aジェンダー
今この瞬間あなたのジェンダーをいちばんよくあらわしているものは何？：ヘッドホンとイヤホンを選びました。音楽は自分にとっての対処メカニズムだから。ムカついたり悲しくなったりした時、音楽を聴くとすべてまた大丈夫になるって思えるんです。

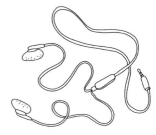

名前：ケイシー　年齢：17歳
ジェンダー・アイデンティティ：ノンバイナリー
今この瞬間あなたのジェンダーをいちばんよくあらわしているものは何？：私の髪。私はいつも自分の髪をどうするか親と祖父母に決めさせていました。セント・ボールドリックスというチャリティの資金集めのために頭を剃ると決めた時、この経験によって解放されたように感じただけでなく、ようやく自分の髪を好きにしていいんだと感じられたんです。自分の人生において、初めて自分の見た目を好きにできた経験で、今でも自分のアイデンティティの大きな部分を占めています。

名前：ロウェナ
年齢：25歳
ジェンダー・アイデンティティ：女性
今この瞬間あなたのジェンダーをいちばんよくあらわしているものは何？：わたしを女らしく感じさせてくれるものは、わたしを強く美しく感じさせてくれるもの。多くの女性は（それに男性／ノンバイナリーの人たちも）髪を美の源とみなしているでしょうけど、わたしは頭を剃るとまさにそういう気分になるんです。丸刈りにするとすごく強く、クールに、セクシーに、女らしくなったように感じる。わたしはいつも頭を剃った女性たちはすごく魅力的で惹きつけられると思っているし、美の基準を転覆させる人ほど面白いものってない。だから、私自身のジェンダー・アイデンティティをいちばんあらわしているのは、私の髪がないことですね。:)

名前：ビル　年齢：3歳
ジェンダー・アイデンティティ：騎士
今この瞬間あなたのジェンダーをいちばんよくあらわしているものは何？：騎士を選んだのは自分が騎士だったらいいなと思うから。勇敢で強い、けど、にんじんは食べない。

名前：マンディ　年齢：32歳
ジェンダー・アイデンティティ：フェム・トムボーイ
今この瞬間あなたのジェンダーをいちばんよくあらわしているものは
何？：野球帽。13歳の時に親友で片想いの相手から盗んだものです。

10代のトムボーイ〔tomboy / 少年のような少女〕期で、ぶかぶかのトラック
パンツ、大きすぎるTシャツ、エクストラララージのフーディと合わせ
て、どこに行くにもかぶっていました。自分はジェンダーに基づく期
待を突破するのだと誇りを持っていました。11歳までボクサーパン
ツを履いて、メイクとタンクトップは拒否。週末は機械工の父と廃品
置き場に行くのが好きでした。あれから20年、タイトジーンズとぴっ
たりしたTシャツの良さがわかるようになり（メイクは断固として拒
否だけど）、自分自身を世界にどうあらわすかを見直しているところ
です。この8ヶ月、私は自分のトムボーイ性を取り戻したいと願って
いて、新しい野球帽を買おうと考えているところです——10代の頃
のやつしか持っていないので。なので、このくたびれた古い帽子は私
が本当のところ誰であるのかを示すシンボルとなりました。未だ成長
中の、創造的で好奇心旺盛ないたずらっ子です。

名前：ケリー　年齢：36歳
ジェンダー・アイデンティティ：女性
今この瞬間あなたのジェンダーをいちばんよくあら
わしているものは何？：わたしのボロボロになっ
た古い（壊れた）授乳ブラ。ひとり息子（あと

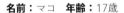

2日で2歳になります）を授かる前、妊娠するまでに何年も
苦しみました。およそ23ヶ月間の授乳を終えて、自由に興
奮しつつも、今では違う機能を持つようになったこの体の部
位に大きな感情を抱いています。授乳の終わりは二度目の流
産と重なってしまいました。わたしは人生の頂点に立ってい
て、また別の命を宿そうとするよりも、自分の体の自由が好
きなのかなと思い巡らしています。わたしは女性であり母親
であると自認していますが、流産や不妊にまつわる深い悲し
みを抱えている人間でもあります。

名前：マコ　年齢：17歳
ジェンダー・アイデンティティ：ノンバイナリー
今この瞬間あなたのジェンダーをいちばんよくあら
わしているものは何？：オーバーサイズのスウェッ
トを選びました。着ていると快適だし、たっぷりし
た布地が体型をわかりにくくしてくれるから。

名前：リンジー　年齢：21歳

ジェンダー・アイデンティティ：Aジェンダー

今この瞬間あなたのジェンダーをいちばんよくあらわしているものは何？：私のジェンダーはどこかの博物館か実験室に置かれている判別不能の胚です。ほとんどの胚は、それが成長して魚になるか哺乳類になるか爬虫類になるか鳥になるか、その他の進化した生命体になるかと関係なく、最初は同じように見えます。そこから特定の器官を発達させるうちに、このワラビーやハヤブサやイルカの青写真からの違いが出てくるのです。私のジェンダーはどこかの棚に収まっているエタノール瓶の中の胚――成長も変化も発展もしない。そんなことは決してなかったしこれからもありえませんが、それでも世界にワラビーやハヤブサやイルカがいることには感謝しています。

名前：ウィル　年齢：30歳

ジェンダー・アイデンティティ：トランス男性、トランスマスキュリン、最近は髭とスカート姿でトランスフェミニン。絶対ノンバイナリー。

今この瞬間あなたのジェンダーをいちばんよくあらわしているものは何？：自分の毛むくじゃらのおっぱい！　テストステロン治療中で、上半身の手術を受けない選択をした人たちの姿を自分は見たことがありません。すごくもじゃもじゃで好き。いつか赤ちゃんに授乳したいと思っていて、吸うほうにとっては奇妙で不気味かもしれないけれど、自分は乗り越えました。今は自分のおっぱいが大好きです。変わっていてふざけてる感じ、まるで自分みたいに。

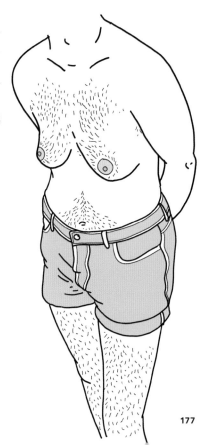

名前：カッシー　**年齢：**30歳

ジェンダー・アイデンティティ：自信に満ちた謎のキラキ

ラボーイバンド（ジェンダー・ノンコンフォーミング／ジェンダークィア）
_{男性アイドル}

今この瞬間あなたのジェンダーをいちばんよくあらわして

いるものは何？：今この時点でのわたしのジェンダーは、

親友デート中のジョナサン・ヴァン・ネスとタン・フラン

スが、ポプラの木々に埋め尽くされたすばらしい山々を見

下ろす草原で、『ジーナ』の話をしながら一緒に馬に乗っ

ているところを想像することによって、いちばん適切に表

現されると思います。

ジョナサン・ヴァン・ネス：『クィア・アイ』の美容担当として有名なヘアスタイリスト、ポッドキャスト配信者、コメディアン、テレビタレント。ゲイ男性として世に出たが、2019年に自分の性自認がノンバイナリー／ジェンダー・ノンコンフォーミングに変わったと公表。回顧録『どんなわたしも愛してる』（邦訳：集英社／安達眞弓＝訳）

『ジーナ』：1995〜2001年にアメリカで放送されたサム・ライミ製作総指揮のドラマシリーズ。古代ギリシャを舞台にヘラクレスを主人公とした『ハーキュリーズ』のスピンオフで、主人公ジーナをルーシー・ローレスが演じた。

わたしたちはカテゴリだけでは
あらわせない存在

本書の大部分が、ジェンダー、セクシュアリティ、アイデンティティのグループをより小さな集団に分ける用語、アイデンティティ、カテゴリを定義することについて論じています。概念を紹介したり、自分以外の人には馴染みのない経験を説明したり、その経験を共有する人たちとつながったりするのに、こうした言葉を知っていると便利です。しかし時には、無数の小さなカテゴリがふたつの大きなカテゴリと同じ程度に争いを招いているように感じてしまうこともあるかもしれません。

無限のアイデンティティと記述語——とりわけジェンダーとセクシュアリティ周辺の——を使

うにあたって、わたしたちは特定のアイデンティティを持っているからといって、永遠にそのアイデンティティに留まり続けなければいけないわけではないし、その標識を定義する不文律に従わなければいけないわけではないということも、心に留めておかなければなりません。結局のところ、わたしたちはひとりひとりが独特で、カテゴライズは不可能なのです。

自分自身にも他人にも変化することを認め、柔軟かつオープンでいましょう。すべての変化はあらゆる段階において正当な根拠があります。

わたしたちはみんな変身する者なのです。

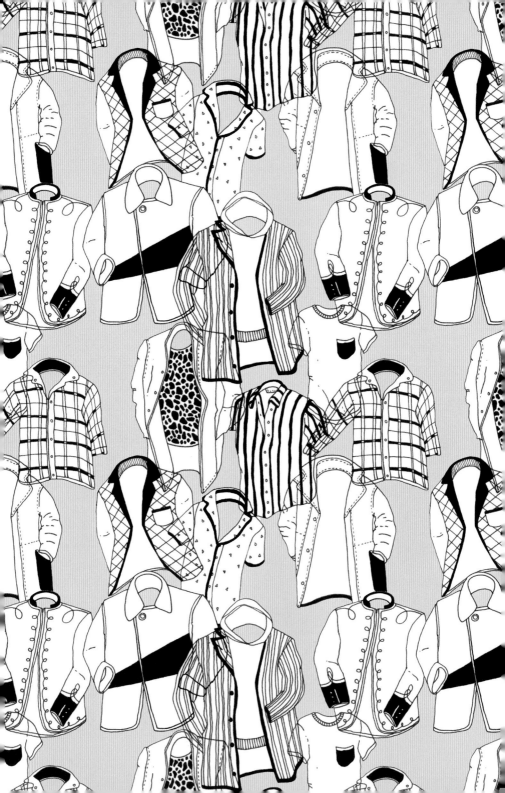

My Story
わたしの話

ハリー・スタイルズはいかにして わたしを現在の「ボーイとしてのわたし」 に変えたのか

ハリー・スタイルズは、わたしのジェンダー、セクシュアリティ、体、ファッション観を変えました。

2017年の夏、壁紙や布地の模様を作って遊んでいたわたしは、模様を使ったメンズウェアをデザインをしたいと思っていました。参考になりそうな画像を探していたところ、絵心を刺激されるファッションの聖杯をみつけました。すなわちハリー・スタイルズの装いです。それまで彼のことはよく知りませんでした——わたしはバックストリート・ボーイズ世代の人間なので。しかし、彼の片側に寄せた長い髪、派手なボタンアップシャツ（よくボタンを外している）、きらきら光沢のある花柄のスーツを見ているうちに、彼の自信に満ちたジェンダーの戯れに心惹かれ、すごくうらやましくなりました（それにわたしはかわいい男の子が大好きだっていうのもあります）。彼のスタイルにはすごくクィアなところがあって——わたしの場合とはまったく違う方向でだけれど——、結局、それはわたしのジェンダーにすごく重大な影響を与えることになりました。

ハリーを発見した時、わたしは自分のジェンダーを一片の苔のようなものだと思っていました。肉体を持ちたいと望むことなく茫洋として、岩にはりつき森の絶景をずっと楽しんでいるだけ。誰の目にも留まらない、取るに足らない存在（わたしは自分の自己肯定感が高かったようなふりはしません）。つまりわたしは、残念極まりないことに人間なので女性を自認していましたが、決して積極的にではありませんでした。わたしは5年

ほど前からクィアを自認していて、どんな外側のジェンダー表現がわたしの内側のジェンダー・アイデンティティに合っているのかを理解しようとしており、そのどちらも当時は曖昧でよくわかっていなかったのです。何年にもわたって比較的ジェンダーニュートラルな、またはマスキュリン・オブ・センターな格好をしてきた末に、わたしはいろいろな表現スペクトラムのうちのひとつを試してみようと、女性服やアクセサリーをいくつか手に入れてみました。この女らしさトライアルは短く失敗に終わった実験だったとだけ言っておきましょう。うぇぇ。

わたしはかつて身体醜形恐怖症の感覚を強く抱いており、それがジェンダーやセクシュアリティに関係していることに長いこと気づいていませんでした。このハリー・スタイルズ期の最初の頃、それは胸を隠すためにオーバーサイズのシャツを着て、まだらの変なマレット（ショートにしたいのかロングにしたいのか中途半端かつ茶髪と同時に金髪）を帽子で隠し、お尻にひっかかるカットオフされたみすぼらしいショートパンツを履いていたあたりにあらわれていました。光り輝く花柄のスーツとは大違いです。

わたしはハリー・スタイルズ、ボーイッシュな体をした身なりのいい少年に自分を仮託して生きることに取り憑かれました。そして自分はもしかしたらある種の……男の子（ボーイ）……だったのかも？　と思うようになりました。これはジェンダークィア版のわたしからそれほど大きな飛躍ではありませんでしたが、自分自身をボーイ（当

ハリー・スタイルズ：イギリスのオーディション番組で結成
されたグループ、ワン・ダイレクションのメンバーとして
2011年にデビューし、成功を収める。2017年、ソロ・アー
ティストとして音楽活動を開始。ファッション・アイコンと
しても注目を集めている。

時は「シー・ボーイ (she-boy)」と言っていました。元ネタは
もちろんシャキーラの「シー・ウルフ」)として見るとい
う精神面での変化によって、初めてわたしの体
とわたしのアイデンティティがカチリと合った
ような気がしたのです。

わたしがまずそのファッションに射抜かれた彼
は、起きている時間も夢の中でも繰り返し脳内
に訪れるようになり、わたしは彼がいかにわた
しの実存的危機にポジティヴで（そして混乱する）
重大な影響を与えたのかを説明する手紙を彼に
書かなければならない、と決意しました。当時、

わたしは一ヶ月にわたって親の家に滞在してい
ました。3時間の時差があり、とても暑く、客
用のベッドはどうにも寝心地が悪い。しばらく
眠ることができず、諦めて何時間も夜ふかしし
てこの手紙を書いていました。手の届かないセ
レブリティに宛てて書きはじめた手紙は、一種
の日記のようなものに変わり、自分自身との対
話となり、このジェンダーにまつわる羨望に火
をつけられた結果としての、感情的・精神的な
紆余曲折を解き明かそうとしていました。

わたしが予想していなかったのは、欲望とジェ

ンダーがセクシュアリティと衝突を起こして、すごく混乱をきたす事態でした。わたしはアセクシュアルを自認しています。これは多くの人々にとってさまざまなことを意味し、すべてのセクシュアリティがそうであるように、その中にも無限のバリエーションがあるだけでなく、時と共に変化する場合もあります。わたしはかなり長いことアセクシュアルを名乗ってきたにもかかわらず、いまだにこれを超能力のように感じる状態と、自分は欠陥のある壊れた人間だと思ってしまう状態とのあいだを行ったり来たりしているのです。このアイデンティティに結びついたさまざまな先入観、「なんで？」感覚のために、人々がわたしを知りもしないうちからわたしに興味をなくしてしまうのではないかと怖れています。もし自分が宿っている体といい関係を築けていなかったり、実際のところつくづく不快に思っていたりしたら、自分の体で生きるにあたって快適なジェンダー・アイデンティティを決めるという難しい課題が、ますます難しくなってしまいます。この混乱を生み出している要因は何なのか、わたしには本当にわかりませんでした。誰かと一緒にいたい（精神的にも肉体的にも）、何者かになりたい、好かれたい。全部あると思います。

わたしは自分がこのひょろっとしたボーイッシュな体でいながら、もっと過ごしやすくなるために、上半身の手術（両乳房切除）を受けるべきか否か、かなりの時間をかけて検討しました（そして受けました）。が、突然怖い考えが浮かびました。わたしの体をわたしが欲している誰かに似

た姿に変えることは、わたしをその人たちにとっ
て（そして理論上はさらにたくさんの人口にとって）さらに
魅力的でなくさせる行為なのではないか？　わ
たしは女性とノンバイナリーの人々としかつき
あったことがなかったから、男の子に恋心を抱
くのは未知の領域だったのです。もしわたしが、
半分「女性の体」で半分「少年の体」のクィア
のシー・ボーイだとしたら、ストレートの男の
子たちはわたしの少年の体に惹かれるだろうか？
あるいはゲイの男の子たちはわたしの女の体に
惹かれるだろうか？　そしてアセクシュアリティ
はこれらすべてを取るに足らないどうでもいい
ことにするのだろうか？

客観的には、自分が自分の体で生きていくのを
なるべく快適にさせることが最も重要なのだと
わたしは言うでしょう。個人の主観としては、
29年間それで生きてきた体にそんな恒久的な
変化をもたらすこと、さらにそれが体の経験に
おいてわたしをさらに孤立させる可能性がある
ことを想像して、怖くなりました。わたしはひ
とつの識別可能な（とはいえ居心地の悪い）体から、
複数の体の融合体へと変化していたのです。そ
れは当然、医学的な観点からも怖い考えでした
が、わたしの中ではキメラでいること自体への
深い怖れもまた生まれていました。複数の肉体
によるフランケンシュタインの怪物です。

この時期も、ハリー・スタイルズはしょっちゅ
うわたしの無意識の世界に訪れていました。わ
かるわかる、気持ち悪いよね。でも睡眠中の脳
はしたいようにするものだから。わたしのせい

じゃない。わたしとハリーの関係は、わたしが目覚めている時間の生活において彼が象徴している問いとはっきり平行線を描いていました。わたしの無意識の自己は、わたしが手紙を書きながら考えていたのとまったく同じ疑問に取り組んでいました。わたしたちのやりとりの多くは、わたしが自分のクィアネス、セクシュアリティ、そして体を恥じていることについてでした。わたしたちは一緒に楽しい時間を過ごし、笑い、気さくに話をしていましたが、わたしはあまりにもクィアで、両性的で、混乱しているし、例のダサいマレットは醜すぎるから（まじでまじで）、自分が彼にとってロマンティックな関係の対象になることはないだろうとずっと思っていました。わたしたちはプラトニックにベッドを共にし、わたしが提供できたのは小さなオレンジジュースのグラスと巨大なチートスのボウルだけでした——これは間違いなくセールスポイントだったな、わたしとしては。

ある夢で悲痛な瞬間が訪れました。わたしは夢の中で、何枚かのドローイングに熟考のうえに彼に宛てて書かれた自分の弱さを晒す手紙、起きている時間に何週間もかけて書いていたのと同じものを添えて美しく包みました。それは素敵な贈りもので、わたしはそれを本当に誇りに思っており、わたしの自己の核の部分の特徴を完璧にあらわしていました。穏やかな自己主張、小さな手作りのものを与える者としてのわたし、普段不機嫌な人物としては意外にロマンティックなふるまい。彼はその夜、すごくストレートで、女っぽくて、グラマラスで、ありがちに魅

力的な女性と初デートに出かけるのだとほのめかしていて、わたしが彼に包みを手渡そうとすると、「もし僕が今晩彼女と恋に落ちても、まだ僕にこれを持っていてほしい？」と言ったのです。正直な答えは「ほしくない」でした。その理解の瞬間は、拒絶されることへのわたしの怖れをはっきりと悲しく成就させるものでした。わたしとは違う、ジェンダー規範にのっとってステレオタイプ的に魅力的な誰かとのたった一度のデートによって、わたしのアイデンティティの交差は、彼にとってはいくら楽しくて面白くてはじまったばかりの関係だったとしても、それ自体が決裂の要因となるものなのだとわかってしまったようでした。

わたしはこの奇妙な経緯を通じて、誰かのジェンダー表現が自動的にその人のアイデンティティの他の側面を示すわけではないのだと学んできました。わたしのさまざまな標識のコレクション（アセクシュアル＋ジェンダークィア＋かわいい男の子が好きな人＋トランス・クエスチョニング＋すごく不安）は、あまり自信を生み出す助けにはなりませんでした——このことは、こうした標識の力がいかに限定的か、不安がいかに膨らみやすいものなのかを示しています。こうした用語はすべて個人の人間性と絡み合っているから、方程式の問題ではないのです。わたしが自分の欲望の反映としてハリーのジェンダーを推定するのは不当です。彼が男の子のように見えるからといって、彼が自分を男の子と自認しているとは、そして／あるいはボーイッシュな人物に恋しないとは限らないのです。このようなわたしの思い込み

は、ハリーは（あるいは他の誰でも）わたしの複雑さ
をわたしの着ている服から単純な推定に押し込
めてしまうだろうと思い込んで恐怖を抱くのと
同じ程度に、危険で間違っています。

わたしはこのプロセスを経たおかげで今は違う
場所に立っています。より良い、より自信に満
ちた場所に（または少なくともそうあろうとしています）。
わたしは上半身の手術を受け、前よりいい感じ
のショートヘアになったけれど、あの頃のすべ
ての恐怖と誘発された混乱のポイントは、今も
まだわたしの人生の一部です。わたしは自分の
セクシュアリティについて混乱していて、周り
の男の子たちを見ては彼らの体とシャープな顎
のラインをうらやましがり、この自分の体でど
うやって生きればいいのかまだ完全にはわかっ
ていません。わたしはハリー・スタイルズにわ
たしのことを立派だと思ってもらいたいし、彼
のクローゼットの絵を描かせてもらいたいし、
たとえわたしにおっぱいがなくてもデートして
ほしい。でもその前に、彼に大きな感謝の気持
ちを伝えたい。

ハリー、いきなりこんな激しい話になってしまっ
てごめんなさい、でも、これがわたしが渡せな
かったあの素敵な包みに入っていた手紙です。

「こんにちは、わたしの名前はアイリス
　　　　　　——はじめまして、ハリー」

体を非ジェンダー化・脱性化する

摂食障害について

わたしは2006年から拒食症を患っており、どうやらこの先もずっとこの病気とつきあっていくことになりそうです。深刻さの度合いは時と共に浮き沈みがありました。ベジタリアンになったところから、大学をやめろと命じられたり、死にかけたり、施設治療を受けたり、ときどき不安であまり食べられなくなる時期がある現在まで。病気がいちばんひどかった頃から10年経って、今では健康的な生活を送っていますが、わたしの体はずっと摂食障害の影響下にあって、しょっちゅう自分の来歴が思い出されるのです。今、わたしはこれまで以上に、自分の体にジェンダー、セクシュアリティ、女らしさ、人種、階級、精神疾患についての矛盾をはらんだ文化的な思い込みが作用しているのだということがわかります。

わたしたちの体とジェンダーは分かちがたく絡み合っていて、人々が体をどう読み取るかは、ジェンダーをどう考えているかを知らしめます。わたしたちには特定の身体的特徴を女らしいか男らしいかに振り分けて見る傾向があり、したがって性別二元論から決別するのは、自分で自分の体をどう理解するかにあたっても難しいことなのです。

わたしの体が摂食障害を起こすようになったのは10代の頃です。周りの子よりもはやく胸が発達し、生理が来て、わたしはそれが嫌でした。大人の女性の体になりたくありませんでした。これは多くの中学生に共通する気持ちに違いないと確信しています。性的なものとして見られる自分の体に居心地の悪さを感じるようになるにつれ、病気が忍び寄って来ました。わたしは17歳の時に肉体的にも感情的にも発達するの

を基本的にやめてしまいました。生理は6年にわたって止まり、骨粗鬆症の初期段階で、ホルモン信号は空腹を伝えず、人との交流をほぼ絶っていました。いちばん酷かった時、あからさまに病的な状態になったのは（身長170cmで41kgほど）、徹底的に屈辱的な経験だったものの、性的な意味で人目につかない存在となり、ジェンダーレスな、ほとんど人間でないような体でいることは安全な感じがしたのです。16歳のわたしの自己は、きっと心の底の底で、その先も長いこと完全には認知されることのなかったわたしのジェンダーについて何かを知っていたのです。

今のわたしは病気が再発しても、だいぶ自覚的です。意識的にそれを選んだという意味でなく（わざわざ摂食障害になろうとする人なんて誰もいません）、インゲン豆みたいでいること（すごく細いこと）が、わたしをわたしに合ったジェンダーに近づけると自分で気づいているのです。凹凸の少ないひょろっとした男の子の体を持つことは、自分がジェンダークィアでいることの不安に対処するのに役立ちます。わたしはジェンダークィア表現と組み合わさった肥満恐怖症を経験していないので、その点においては特権的な立場にあります。大量のマーケティングがAFABの人々に細くあれと奨励するのは、理想的な女らしさの基準を達成せよという意味なのに、細くあることはわたしをより女性的どころかそうでない気分にさせるのです。

また、わたしは最近になって、自分の病気についてずっと恥ずかしくて認めることができずに混乱していた部分を呑み込むことができました。痩せているということは、つまり顎のライ

ンがはっきりしていることを意味していたの
です。今と違う見た目になりたいというわた
しの欲望に最初に火を着けたのはこれでした。
その時点ではインゲン豆ですらなく、ただ顎
の問題だったのです。今わたしは、自分なり
の「ボーイ」を体現しようとしている最中で
すが、強いアゴは著しく男性的だと考えてい
るし、他人のそれをうらやましく思ってしま
います。

わたしは自分の10代後半か
ら20代前半を奪った病
気を今なお恨んでい
ます。とはいえ、
性の対象として
見られること、
女であること、
パーティーに出
ること、社会規
範に従うよう期
待されることと
いった危険そうな
諸々に直面した際、
自分があんなにも強力な
自衛のシステムを開発したこ
とに感謝しています。わたしは
そういった世界を完全回避し
て、結局は他のさまざまな
ものごとを傷つけるに至
りました――しかし、そ
の時間は自己認識を深
め、思春期の抑圧の外側
に生きる唯一無二の機会
をわたしにもたらしてく
れたのです。

手術日記
ここに生きている体を悼む

2018年5月1日

今から3週間後、わたしは両方の乳房の切除手術を受ける予定だ。

これを書いている時点で、わたしはこの体で29年間生きてきて、これによって伝達されるわたしのジェンダーのありかたを不快に感じているけれど、それと同時にわたしの体を手術によって永遠に変えることで失われるものを悼む気持ちもある。性別違和を正しく調整するのと一緒に訪れるこの悲しみについて、誰かが教えてくれていたらよかったのにと思う。自己の一部を失う心痛と、その喪失を通じて真実の自分に近づく喜びを同時に経験することは起こり得るのだと。

悲しんでもいい、そして悲しみはそれが間違った選択だと示唆するものではない。

自分の肉体的かつ感情的な部位にさよならを告げるにあたって、その悲しみの構成要素をはっきりさせるのは難しい——それは文字通り、いついかなる時もわたしにくっついていた。わたしの体を作りあげているもの。あまりにも長すぎた時間のものすごい苦しみを象徴するもの。この決断は、わたしの以前のジェンダーとの別れを意味している。

わたしは美の象徴として客観的に価値を置かれているものをすすんで自分自身から取り除き、自分の決断による傷跡に置き換えている。わたしの内面化されたトランス嫌悪が膨らむにつれ、自分が一般的な美の証をスティグマの証と交換していることが怖くなる。わたしは多少の脂肪組織の問題なんて気にしない人々にはしっかり愛されるだろうし、誰かがわたしみたいな見た目の人々を愛するきっかけになれるかもしれないとわかっているけれど、自分自身の感情的な部分もそうやって納得させなければならない。自信をつけるために体を改造することが新たな自意識の領域を生じさせるなんて、かなり皮肉な話だ。

自分にこれができる能力と安全があったことに感謝しているけれど、これをやらなければならないことに怒りを感じている。わたしがこの世界で動揺せずにTシャツを着るには手術を受けなければならないこと。わたしが「十分にトランス」であり、十分に精神的苦痛を受けていることを政府に証明しなければ手術を受ける許可が下りないこと。このために起こる未来の頭痛や、自分の安全を心配しなければならないこと。現在のアメリカ合衆国大統領〔ドナルド・トランプのこと〕が疾病対策センターに「トランスジェンダー」という言葉の使用を禁止したこと。

わたしは、自分自身の一部に別れを告げる際には怒りや恐怖や悲しみを感じることがあってもいいのだということ、それでもなおこれがやるべきことだとわかっているということを、みんなに知ってもらいたい。

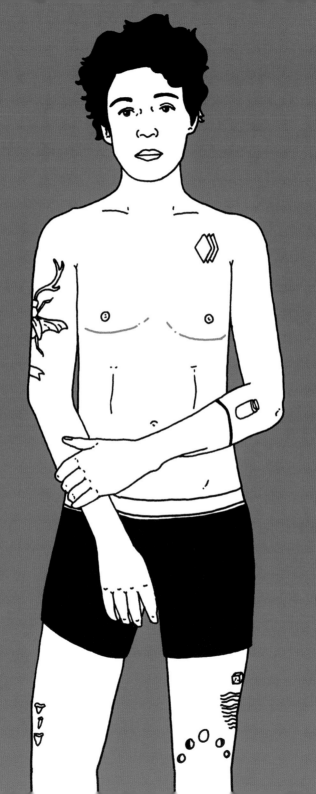

手術日記

第2週：
儀式

2018年6月3日

この2週間、わたしはあまり自信を持てない状態だった。くたびれて、だらしなく、痛くて気持ち悪い。でも昨晩、わたしはキッチンテーブルに寝転び、パートナーがわたしの頭を抱き抱えて、友人がわたしの汚れきった髪にお湯を注いでくれた。髪を洗うのは手術以来初めてだ。憂いと疑念を洗い流す、新しいわたしになるための洗礼の儀式のように感じられた。そのあとわたしはシャツを着て、いくら感情のうえで複雑な想いが残っていようとも、これは正しい決断だったのだとようやく納得した。

手術日記

第3週：
初めての肌

2018年6月11日

手術後に診察で誰かがわたしの胸に触る必要が生じるたび、わたしは毎回意識を失うか大々的に吐き気がするかだった。わたしは自分の再構成された体にとって完全に未知のものだった箇所の断片的なしびれ、ヒリヒリする痛み、傷跡、そして触覚の刺激に圧倒されてきた。大きな包帯が外れると、わたしはシャツが肌に触れないように一日中体を曲げていた。21日間も体を曲げ続けていたので、肩がすごく痛むようになった。

今週になって手術後初めてシャワーを浴びた。わたしはまだ傷跡を見る心の準備ができていなかったから、目を閉じたまま湯船に足を踏み入れたのだけど、水が背中に当たった瞬間、麻痺状態になって半ばかがみ込み、嗚咽してしまった。ずっと目を閉じたまま、暗闇でわたしの我慢強いパートナーに助けられながらシャワーを浴びた。シャワーから出た後は、包帯を巻き終わるまで目を閉じ続けていたので、傷跡は見えなかった。

今日で手術から3週間、昨晩わたしは初めて下の切開部を見てみた（乳首移植の部分は今はまだ強烈すぎるから）。本当に大丈夫だった。勇気を出した自分へのちょっとしたご褒美に、密かに紫色の接着剤をほんの少し剥がしてみた。治癒し、回復し、新たに再生する体の力は驚異的だ。今日、わたしは初めてTシャツを着て世界に出ていった。それはライトパープルで、わたしの正面で平たくなった。わたしはようやくまっすぐに立てるようになった。目を閉じたままジャンプスーツを試着するのを母が手伝ってくれた。まるで布袋みたいに完全に平らで、ぴったりだった。

わたしはたくさんの初めてを経験している。初めての触覚、初めての肌、初めてのシャワー、初めてのTシャツ、初めてまっすぐに立つこと。わたしは毎日少しずつ足を踏み入れているのだけれど、それでも圧倒される経過だ。わたしはこれまでと違うやりかたで自分自身と関係を結び、怖がりながらも受け入れている。自分が何であろうとわたし自身以外のどんなジェンダーでいる必要もないのだと理解している。わたしはこれからもハリー・スタイルズと縞模様が大好きな矩形のシー・ボーイでいるだろう。自分がいくらか不定形な存在であることは、わたしにとっても他の誰にとっても、たいした問題じゃない（し、問題であってはならない）。なぜならそれはもともとすべてわたしたち人間が作りあげたものだから。

そして、この歩みは続いていく。

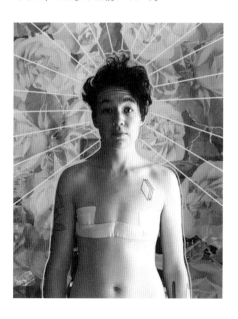

手術日記

第4週：

ホーム

2018年6月18日

今週は楽だった。

自分の体をわが家のように感じているという他
には、あまり深く考えなかった。わたしはピン
ク色でなめらかになってきた切開部を見て触れ
ることができる。それは毎日変化し、わたしは
毎日前日の状態に慣れていて、その翌日に驚か
されている。乳首の位置が離れすぎているので
はないかと心配になった（ほぼ脇の下みたいに
感じる）。けど、どうやらボーイの人々の乳首
はそんな感じらしい。わたしはすべてのおっぱ
いの下に胸筋があり、痙攣したり動いたりする
のだと知った。わたしはこの変化を怖れ、この
処置を怖れ、後悔を怖れ、痛いんじゃないか、
醜く見えるんじゃないかと怖れ、概して怖れて
いた。でも今はいい気分だ。

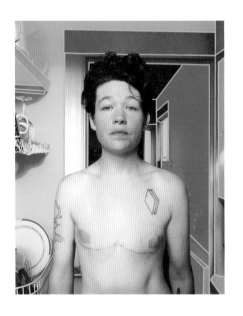

今週はもうひとつ大きな変化があった。5年半
住んだカリフォルニアを後にして、ノースキャ
ロライナに引っ越すことにしたのだ。わたしの
故郷(ホーム)である場所に、わたし自身(ホーム)になって戻ると
いうのは、変化の波が訪れているように感じる。

車でカリフォルニアから離れて、わたしの新し
くて古い土地に落ち着くまで、あらゆる感情を
抱くことになるだろうけれど、わたしは何年も
かけてこの両方の移行をゆっくり計画してきた
のだから、毎週ごとに両方について確信を深め
ていくだろう。人は引っ越しする時、好むと好
まざるとにかかわらず、自分自身をいっしょに
連れていくのだ——何にせよいい気分だ。

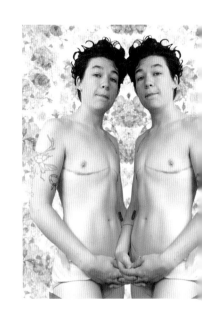

手術日記

4ヶ月目：
リンボ（中間状態）

2018年9月24日

わたしは今、自分の体でいるのがちょっと変な感じがする。まるで自分の中の誤解にふたつの面があるような。ある面ではわたしが何になりたいのか／自分自身をどう読み取るのかをわかっていないし、別の面では、他の人々がわたしを何者だと思うか／わたしをどう読み取るかをよくわかっていない。

たぶんこの状態は、自分がどこに向かっているのかわからないからではなく、以前の自分がいたところにはもういられないとわかっているから生じている部分があるのだろう。わたしは知らない人にも親しい人にも同じように「奥さん」、「ガール」、「レディ」と呼ばれてきて、こうした読みの元になっている文脈上の手がかりがいったい何なのか、本当によくわからない。わたしはショートヘアで、おっぱいもなく、男性的な服を着ている。ジェンダーについてわたしたちが無意識に読み取っている何かがあり、人々がわたしを「奥さん」と呼ぶ時、それは（「旦那様」と呼ぶことで）わたしに失礼にならないようになのか、それとも単に無意識の読みがあるからなのか、見極めるのは難しい。わたしは自分のことを「ボーイ」であって男でも女でもないと思っている。わたしは自分の代名詞に「彼女（she）」を使うけれど、「奥さん」でも「レディ」でもない。他の人たちにとっては扱いに混乱する存在だとわかっているけれど、誰かを呼ぶ時、その人のジェンダーを知るまでは敬意を持って、過度にジェンダー化されたやりかたで呼ばないよう気をつけることは大事だと思う。

人の代名詞は恒久的なものとは限らず、ジェンダーの変化はさまざまなペースで起こるものだと認識することは重要だ。善意のクィアの人々／アライは、多くの場合、両性的だったり男性寄りだったりする人物の代名詞は当然they/themだと（本人に直接尋ねる前に）想定している。男っぽくあることや、時にはボーイと自認していることにだって、自動的に代名詞の変更がついてくるわけではない。わたしは今でも彼女（she/her）を使っているけれど、たいていの人には手術後に代名詞をthey/themに変えたと思われていることに気づいた。代名詞they/themだと推定したり、確認した後にもそれを使い続けることは、ミスジェンダリングにあたる。わたしたちは常に本人に尋ねるべきだ。

わたしはこれが誰もが経験していることではないとわかっているし、それでいい。人は希望する代名詞やアイデンティティについて、周りの人たちと話し合うべきだ。とはいえ、公的にジェンダーを変えたのち、常にミスジェンダリングを経験している人間として、ジェンダー・アイデンティティの一部を変更したからといって、自ずと残りの部分も変更されるとは限らないのだとみんなにわかってほしいと思う。わたしはまだ「レディ」「奥さん」「女性」「男性」ではなく「シー・ボーイ」になる方法を見つけ出そうとしているところ。1ヶ月後には違う代名詞に惹かれているかも。それはそれとして、わたしが自分のためにこれを考えているあいだは、ジェンダーに配慮した接しかたを実践したり、少なくともこうした問題があることに気づいてほしいと思う。自分は他人のジェンダーを読み取れるとあなたが思っていてもいなくても。

あとがき
学びは決して終わらない

ジェンダー、そしてそれにまつわる無数のアイデンティティの交差は、わたしたちに信じられないぐらい大きな影響を及ぼしています——感情的にも、個人的にも、政治的にも。この話題は時に人の最も敏感な部分を刺激し、時に人を激怒させます。それは時に人を自らの生物学的家族から追放し、自らの意志によって選択した家族の愛に満ちたコミュニティを作り出します。それはある人にとっては死刑宣告であり、他の人にとっては救世主です。力を与えられる人もいれば、無力に感じてしまう人もいます。

ジェンダーについての学びは決して終わりません。 わたしたちのジェンダーについての文化的理解は常に進化しており、わたしたちの周りにいる人々のジェンダーは（わたしたち自身のジェンダーと同じく）常に変化しています。

学びの過程で混乱して間違ったことを言ってしまっても問題ありません——周囲の人間が自分の代名詞や名前を変更するのを初めて経験した時に、最初からうまく対処できなくても当然です。あなたが正直に（そう、本気で）努力している限りは大丈夫です。あなたは代名詞や名前を変える人に出会うたびに、うまく調整していけるようになるでしょう。知っている人がゲイであることが判明した時にも、動揺せずに受け止められるようになるでしょう。

言葉は時と共に変化するものなので、あなたの世代が使っていた言葉が今では時代遅れか、ひょっとしたら失礼な言葉になっているかもしれません（たとえば「トランスヴェスタイト（服装倒錯者）」や「ホモ（同性愛者）」）。近頃より適切とされる語は何なのか尋ねたり調べたりして、今では失礼になった語を擁護しないようにしましょう。言葉は変わります！　あなたが全部理解したと思っても、そうではないのです。誰かがあなたに教えるべきことは常にあるのです。

わたしたちはみんなそれぞれ別々の出自を持ち、文化的に別々の世界観で育ち、異なる教育を受け、違う種類の人々に出会い、それぞれ異なる年齢で自分なりの問題に取り組むようになります。わたしたちは興味の対象も学びかたもばらばらだということを、すぐに忘れてしまいがちです。**無知がすなわち偏見を意味するとは限りませんが、だからといって学ぼうとしなくてもいいわけではありません。**

この手の話題について、すぐに政治的対立が招かれないように、また日常生活においてこうした会話をしない人たちに疎外感を持たれないように語るのは難しいことかもしれません。わたしたちはあらゆる侵犯行為を指摘し、あらゆる過失を非難し、ジェンダーについての会話に触れる機会のなかった人を責めたてる必要はありません——つながりあるいは共感を招くのに、それがいつも効果的なやりかたであるとは限りません。

しかし。

時には怒りが必要です。

時には撤退（相手にしないこと）が必要です。

わたしたちには、自分たちに代わって自分たちが直接話をできない人たちと、難しかったり何かの引き金になったりする話をするよう、誰か

に頼まなくてはいけない場合があります。誰もがこうした会話を安全におこなえる特権、あるいは忍耐を持ちあわせているわけではないのだから、できる人はするべきです。もしわたしたちにできるのなら（時には本当に無理なこともあります）、他者の経験に耳を傾けてほしいと愛を込めて優しく頼めばいい。ただし誰かに個人的な経験を教えるよう強制しないこと。本人がすすんで差し出したくない場合、それはしてはならないことです。

この本を書くにあたっては、優しく穏やかでいながら、無礼で有害で抑圧的な行動を決して許さないバランスを心がけるのが難しいところでした。個人的には優しくあることが常に正しいアプローチだとは思っていません。優しさで憎しみと闘うことはできません。この本を読んでいるあなたが憎しみの場から来たわけではないことを願っています。しかしながらわたしは、**人が成長する過程で失敗する余地を与えられる**ことが大切だと信じています。また、自分たちにダメなところがあった場合には、お互いに責任を持つことも大切です。責任は場合によって

は窮屈なものですが、変化だってそういうものです。間違ったことを言う人に対して、会話に加わったり参照すべき情報を勧めたりしないまま、それをただ恥とみなすだけでは、新しい視点に耳を傾けることへの抵抗、防衛、沈黙を増幅させてしまいます。わたしはすごく恥ずかしい思いをしがちです。わたしはこれまで長い時間、自分が属しているラディカルなクィアの人々のコミュニティで、歴史や専門用語にあまり通じていないことや、単純に知らなかったり同意できなかったりしたことで疎外感を味わってきました。わたしはヘマをするとすぐに縮こまってしまうし、たとえつまづいたりうっかり失礼なことをしてしまっても大丈夫なのだと自分に言い聞かせるのは、ものすごく難しい情動処理です——最悪な気分。しかし、それは現在進行形の取り組みであり、もしわたしたちみんながあとほんの少しだけ気楽に「ちょっと、それダメでしょ」とお互いに言うのも聞くのもできるようになれたら、わたしたちは自分で思っている以上にたくさんの学びの瞬間を得られるのではないでしょうか。

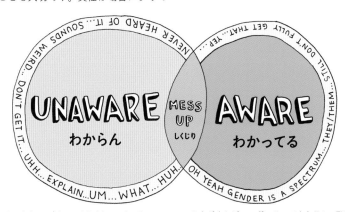

聞いたことない…変なの…わかんない…うーん…説明して…うーむ…何なの…ほお…

そうだよねジェンダーはスペクトラム…THEY/THEM…まだ完全にはわかってないけど…うん…

ジェンダーをもっと理解するための参考資料

本と論文

ベル・フックスの本をどれでもいいから読んでみて。知恵、洞察、インターセクショナルな視点がみつかるはず。以下何冊か：

- 『アメリカ黒人女性とフェミニズム──ベル・フックスの「私は女ではないの?」』（邦訳：明石書店／大類久恵=監訳、柳沢圭子=翻訳）
- 『オール・アバウト・ラブ 愛をめぐる13の試論』（邦訳：春風社／宮本敬子・大塚由美子 =訳）
- 『ブラック・フェミニストの主張─周縁から中心へ』（邦訳：勁草書房／清水久美=訳）
- 『変わろうとする意志：男性・マスキュリニティ・愛 The Will to Change: Men, Masculinity, and Love』（未邦訳／Washington Square Press）
- 『トーキング・バック：フェミニストについて考える、黒人について考える Talking Back: Thinking Feminist, Thinking Black』（未邦訳／South End Press）

『アサータ ある自伝 Assata: An Autobiography』アサータ・シャクール（Assata Shakur／未邦訳／Zed Books）
『バッド・フェミニスト』ロクサーヌ・ゲイ（邦訳：亜紀書房／野中モモ=訳）
『バスタード・アウト・オブ・キャロライナ Bastard Out of Carolina: A Novel』ドロシー・アリソン（Dorothy Allison／未邦訳／Dutton）
『世界と僕のあいだに』タナハシ・コーツ（邦訳：慶應義塾大学出版会／池田年穂=訳）
『ファン・ホーム ある家族の悲喜劇』アリソン・ベクダル（邦訳：小学館集英社プロダクション／椎名ゆかり=訳）
『隠されたジェンダー』ケイト・ボーンスタイン（邦訳：新水社／筒井真樹子=訳）
『現実性の再定義：女らしさ、アイデンティティ、愛、さらにたくさんのものへの私の歩み Redefining Realness: My Path to Womanhood, Identity, Love & So Much More』ジャネット・モック（Janet Mock／未邦訳／Atria Books）
『セックス・ワーカーは団結する：ストーンウォールからスラットウォークまでの運動の歴史 Sex Workers Unite: A History of the Movement from Stone-wall to Slutwalk』メリンダ・シャトーヴァート（Melinda Chateauvert／未邦訳／Beacon Press）
『ストーン・ブッチ・ブルース Stone Butch Blues』レスリー・フェンバーグ（Leslie Feinberg／未邦訳／Firebrand Books）
『身体はトラウマを記録する──脳・心・体のつながりと回復のための手法』ベッセル・ヴァン・デア・コーク（邦訳：紀伊國屋書店／柴田裕之=訳）
『私の背中と呼ばれる橋 This Bridge Called My Back』シェリー・モラガ&グロリア・アンザルドゥア = 編（Cherríe Moraga and Gloria Anzaldúa／未邦訳／Persephone Press）
『黒人フェミニストの思想：エンパワメントの知識、良心、そしてポリティクス Black Feminist Thought: Knowledge, Consciousness, and the Politics of Empowerment』パトリシア・ヒル・コリンズ（Patricia Hill Collins／未邦訳／Routledge）
論文「人種と性の交差を脱境界化する：黒人フェミニストによる反差別ドクトリン、フェミニスト理論、反レイシスト政治についての批評 Demarginalizing the Intersection of Race and Sex: A Black Feminist Critique of Antidiscrimination Doctrine, Feminist Theory, and Antiracist Politics」キンバリー・クレンショー（Kimberlé Crenshaw）

オンライン情報とホットライン

編注：ここに紹介されている組織・機関のサイト・窓口はいずれもアメリカ合衆国に所在があります。原書同様にwebサイトアドレス、電話番号等の情報を記載していますが、いずれも日本国内のサイト・電話番号ではないことにご注意ください。

Everyday Feminism
（エヴリデイ・フェミニズム）

everydayfeminism.com
エヴリデイ・フェミニズムは個人的および社会的解放のための教育プラットフォーム。インターセクショナル・フェミニズムを介して、人々が日常の暴力、差別、周縁化を撤廃することを助け、他者を思いやる社会運動を介して、自己決定と愛あるコミュニティが当然のものとなる世界を作り出すことを使命に活動している。

Asexuality Visibility and Education Network

(AVEN)（アセクシュアリティ可視性・教育ネットワーク）

asexuality.org

アセクシュアリティ可視性・教育ネットワークは2001年にふたつの目標、アセクシュアルの公的な受容と議論の振興と、アセクシュアル・コミュニティの成長支援を掲げて設立された。以来、世界最大のアセクシュアル・コミュニティを運営するまでに成長し、アセクシュアルやクエスチョニングの人々、その友達や家族、研究者や報道関係者に情報を提供している。

The Trevor Project

（ザ・トレヴァー・プロジェクト）

thetrevorproject.org

Lifeline: 866-488-7386 (24/7)

Text: text the word "trevor" to 1-202-304-1200 (4-8p.m. EST)

Online Chat: thetrevorproject.org, (3-9 p.m. EST)

ザ・トレヴァー・プロジェクトは25歳以下のレズビアン、ゲイ、バイセクシュアル、トランスジェンダー、クィア、クエスチョニング（LGBTQ+）の若者への危機介入および自殺防止のためのサービスを提供する全国的組織の代表的存在。

National Center for Transgender Equality

（全国トランスジェンダー平等センター）

transequality.org

全国トランスジェンダー平等センターは、教育とトランスジェンダーの人々にとって重要な国家的問題の支援活動を通じて、トランスジェンダーの人々への差別と暴力の撤廃を目指す全国的な社会正義団体。

The Silvia Rivera Law Project (SRLP)

（シルヴィア・リベラ法プロジェクト）

srlp.org

シルヴィア・リベラ法プロジェクトは、ジェンダーの自己決定は人種的、社会的、経済的正義と分かちがたく結びついているという理解のもとに設立された共同組織。低所得層の人々やトランスジェンダー、インターセックス、ジェンダー・ノンコンフォーミングの有色人種の人々の政治的な声と可視性を高めようとしている。SRLPはLGBTQ+コミュニティが敬意のある肯定的な社会的、健康的、法的サービスをもっと利用しやすくなることを目指して活動している。同団体は、意義ある政治参加とリーダーシップが生まれるには、生存のための基本手段と暴力からの安全が万人に確保されていなければならないと信じている。

National Resource Center on LGBTQ+ Aging

（LGBTQ+高齢化に関する国立リソースセンター）

lgbtagingcenter.org

LGBTQ+高齢化に関する国立リソースセンターは、レズビアン、ゲイ、バイセクシュアル、トランスジェンダーの高齢者に提供されるサービスや支援の質の向上を目的とした、アメリカ合衆国初で唯一の技術支援情報センター。

Lambda Legal

（ラムダ・リーガル）

lambdalegal.org

ラムダ・リーガルはレズビアン、ゲイ男性、バイセクシュアル、トランスジェンダーの人々、HIVと共に生きるすべての人々の人権が完全に認められることを目指して、訴訟、教育、公共政策に働きかける最古かつ最大の全国的司法支援組織。

Parents, Families, and Friends of Lesbians and Gays (PFLAG)

（レズビアンとゲイの友達、家族、親たち）

pflag.org

PFLAGは、レズビアン、ゲイ、バイセクシュアル、トランスジェンダー、クィア（LGBTQ+）の人々とその家族、友人、アライをつなぐ団体で、支援、教育、権利擁護活動を通じて平等を推進している。全国各地に400のPFLAG支部がある。

interACT Advocates for Intersex Youth

（インターセックスの若者のためのインターアクト・アドヴォケイツ）

interactadvocates.org

インターアクトはメディア活動、戦略的訴訟、若いリーダーの育成などを含む革新的な戦略を用いて、インターセックスの特徴を持って生まれた子どもたちの法的権利、および人権を擁護している。主に取り組んでいる問題は、インフォームド・コンセント、保険、身分証明書、学校の宿泊施設、差別、医療記録の回復、養子縁組、兵役、医療プライバシー、難民と亡命、より広い範囲にわたる国際的人権など。

National Center on Domestic Violence, Trauma & Mental Health

（ドメスティック・バイオレンス、トラウマ、メンタルヘルスに関する国立センター）

nationalcenterdvtraumamh.org

ドメスティック・バイオレンス、トラウマ、メンタルヘルスに関する国立センターは、政府機関や制度のレベルでサバイバーとその子どもたちへの対応の改善に取り組んでいる擁護者、精神保健および薬物乱用関係の支援者、法律専門家、政策立案者に対してトレーニング、支援、忠告を提供する。

Black Girl Dangerous

（ブラック・ガール・デンジャラス）

bgdblog.org

ブラック・ガール・デンジャラスは、有色人種のクィアやトランスの人々の声、経験、表現を、できる限りたくさんのやりかたで大きく届けることを目指している。

Resources for Chest Binding

（胸をつぶすための方法）

FtM Essentials: ftmessentials.com/pages/ftme-free-youth-binder-program
Point5 cc: point5cc.com/chest-binder-donation
Point of Pride: pointofpride.org/chest-binder-donations

これらの団体は、チェストバインダーを経済的困窮のため購入することができない24歳未満の人々に無料で提供している。

Rebirth Garments

（リバース・ガーメンツ）

rebirthgarments.com

リバース・ガーメンツの使命は、あらゆるジェンダー、サイズ、能力のスペクトラムにある人々のために、ジェンダー・ノンコンフォーミングな衣服やアクセサリーを作ること。このブランドは、すべての人が自信を持って自分の個性とアイデンティティを表現できるコミュニティを生み出す。クィア、ジェンダー・ノンコンフォーミング、可視／不可視の障害——身体的、精神的、発達的、感情的などなど——を包含する政治的な包括的総称「クィアクリップ」をブランドのアイデンティティとしている。

Rad Remedy

（ラッドレメディ）

radremedy.org

ラッドレメディの使命は、トランス、ジェンダー・ノンコンフォーミング、インターセックス、クィアの人々を、正確で安全で敬意ある包括的なケアにつなぎ、個人とコミュニティの健康を向上させること。

Transgender Europe (TGEU)

（トランスジェンダー・ヨーロッパ）

tgeu.org

トランスジェンダー・ヨーロッパは、誰もが干渉されることなく自分の望むジェンダー・アイデンティティおよびジェンダー表現で生きることができ、トランスの人々とその家族が尊重される、差別のないヨーロッパを理想としている。トランスジェンダー・ヨーロッパは会員制の組織である。44ヶ国から112団体が加盟している（2018年3月現在）。

Black Trans Advocacy

（ブラック・トランス・アドボカシー）

blacktrans.org

ブラック・トランス・アドボカシーは、全国的なネットワークと州支部連合を通じて、コミュニティ・アウトリーチ、福祉、教育・訓練、健康、経済開発、法律・公共政策、信仰・癒しにまつわる紹介サービス、事件管理、直接支援をおこなっている。加えて医療補助金の提供もおこなう。

Darcy Jeda Corbitt Foundation

（ダーシー・ジェダ・コービット・ファウンデーション）

darcycorbitt.org

ダーシー・ジェダ・コービット・ファウンデーションは、名前を法的に変更したい、ホルモン補充療法をはじめたい、ジェンダー適合手術を受けたいと考えているトランスジェンダーやクィアの人々に、年に2回、性別移行助成金を提供している。

FORGE
（フォージ）
forge-forward.org

フォージは、トランスジェンダー個人とSOFFA
(Significant Others, Friends, Family, and Allies 重要な他者、
友人、家族、味方）の権利と生活を擁護し、支援し、
教育をおこなう全国的なトランスジェンダー反暴力
組織。

Planned Parenthood
（プランド・ペアレントフッド）
plannedparenthood.org
1-800-230-PLAN

プランド・ペアレントフッド（全米家族計画連盟）は、
世界規模で何百万人もの女性、男性、若者たちにリ
プロダクティブ・ヘルスに関するケア、性教育、情
報を提供している。アメリカ合衆国内には650以上
の医療センターを設けている。

International Planned Parenthood Federation
（国際家族計画連盟）
ippf.org

国際家族計画連盟（IPPF）はセクシュアル／リプロ
ダクティブ・ヘルス（性と生殖に関する健康）に関連す
る医療と健康管理を提供するために170ヶ国で活動
している。あなたの国の支部を探すにはIPPFのウ
ェブサイトを参照。

National Eating Disorders Association (NEDA)
（全米摂食障害協会）
nationaleatingdisorders.org
1-800-931-2237

全国摂食障害協会は摂食障害に苦しむ個人とその家
族の支援に取り組む最大の非営利団体。NEDAは
摂食障害の影響を受ける個人と家族を支え、予防、
治療、質の高い治療につなげる触媒としての役割を
果たしている。全国各地で無料または低料金で支援
活動をおこなうNEDAのグループが活動している。

National Sexual Assault Hotline (confidential)
（全国性暴力ホットライン）

電話番号: 1-800-656-HOPE
オンライン・チャット: hotline.rainn.org/online
全国性暴力ホットライン（RAINN）は、アメリカ合
衆国各地の1000を超える性暴力被害者支援団体と
協同で電話相談ホットラインを立ち上げ、運営して
いる。

トランス・ライフライン
877-565-8860 (24/7)

GLBTナショナル・ホットライン
1-888-843-4564
月～金 午後4時～午前12時（東部標準時）

GLBTユース・ホットライン
1-800-246-7743
月～金 午後4時～午前2時（東部標準時）

GLBTトランス・ティーン・オンライン・トークグループ
glbthotline.org/transteens.html
12歳～19歳（毎週水曜日午後7～9時、東部標準時）

フェンウェイ・ヘルスLGBTQ+ヘルプライン
25歳以上：617-267-9001
25歳以下：617-267-2535

Call for help
困ったら電話して

索引

＊ページ数表記は、当該の単語が記載されている箇所、
あるいはその単語がテーマとなっている箇所を示す。

た

な

は

謝辞

まず何よりも読者であるあなたに感謝します。
この本は、誰かに届いてつながりや理解を感じ
てほしい、その誰かが人生においてどんな局面
にあろうとも、という想いから作られました。
だから読んでくれてどうもありがとう。

昨年まる1年をかけてこれをまとめるのを手伝っ
てくれたケイト、サラ、サハラに感謝を。すべ
て内容の正誤を確認してくれたソラナと、わた
しのアイデアに耳を傾け、フィードバックをく
れた友人たちにも。

わたしがクィア／トランスの人間として、この
テーマについてこんなにオープンに書くことを
可能にしてくれたすべての先人たち、その声に
なかなか耳を傾けられない人々の安全、権利、
可視性、平等のために闘い続けているすべての
勇敢な人々に。この旅路においてわたしを奮い
立たせてくれた美しいボーイズに。学び、他者
の経験を理解しようと真に努力している人々に
感謝いたします。

著者略歴
アイリス・ゴットリーブ　Iris Gottlieb
イラストレーター兼作家。著書に『科学を理解する――世界の不思議のイラストガイド *Seeing Science: An Illustrated Guide to the Wonders of the Universe*』（未邦訳／Chronicle Books）、『自然の魅惑――友達、フレネミー、その他の動物たちの共生関係 *Natural Attraction: A Field Guide to Friends, Frenemies, and Other Symbiotic Animal Relationships*』（未邦訳／Sasquatch Books）がある。好きな食べものはすいか。いちばん怖いものは内部寄生虫。犬のバニーと一緒にノースキャロライナ州ダーラム在住。

訳者あとがき

　これは主に日本からパソコンの画面越しに眺めていての印象なのだけど、2017年に誕生して2021年1月まで続いたトランプ政権の時代は、アメリカ合衆国に生きる人々の意識に大きな変化をもたらしたように見えます。女性や有色人種などのマイノリティを露骨に軽視し、お仲間の白人富裕層を優遇するトランプ大統領の共和党政権に対して、人々は危機感を強め、持たざる者たちの連帯によって実直に社会正義を求めようとする動きが勢いづきました。今の10代の中には、2010年代前半には「フェミニスト」を自称するセレブリティはまだ珍しかったのだと言っても信じてくれない人もいそうです。なぜなら性差別の撤廃は、今では有名人もそうでない人も、取り組むのが当然の課題として広く認められるようになっているからです。

　そして2021年3月現在、アメリカの人々、とりわけ若い世代のあいだでは、これまで女性や性的マイノリティが被ってきたさまざまな不利益をなくそうというのに加えて、「男」と「女」の性別二元論と、それに基づいた社会のシステムに揺さぶりをかけ、解体していこうという動きが、ものすごい勢いで広がっています。三人称単数のtheyの一般化や、SNSのプロフィールに自分が希望する人称代名詞を明示する人の増加は、そのわかりやすい例といえるでしょう。

　そんなジェンダー意識の大変動時代をクィアとして生きてきた著者アイリス・ゴットリーブは、その頭と体で掴んだ知見をこの本で分かちあってくれました。自分のジェンダーは男でも女でもない「ボーイ (boy)」であると定め、それでも「彼女 (she)」と呼んでほしいという彼女の主張に、面食らってしまう人もいるかもしれません。しかし、彼女は確かに存在して、生きているのです。既存のジェンダー規範を壊していくために選択される一人ひとりの意志的な行動が、社会をどんなふうに変えてゆくのか。知識を得て、考え、日常の実践を進めるにあたって、この本があなたのお役に立てば訳者としてたいへん嬉しく思います。

野中モモ　のなか・もも
東京生まれ。編集職を経てロンドン大学ゴールドスミス校で美術史を学ぶ。東京を拠点に文筆および翻訳業（英日）に従事。訳書にレイチェル・イグノトフスキー『世界を変えた50人の女性科学者たち』（創元社）、ロクサーヌ・ゲイ『飢える私　ままならない心と体』（亜紀書房）など。著書『デヴィッド・ボウイ　変幻するカルト・スター』（筑摩書房）、『野中モモの「ZINE」小さな私のメディアを作る』（晶文社）。

イラストで学ぶジェンダーのはなし
みんなと自分を理解するためのガイドブック

2021年3月26日　初版発行
2021年10月5日　第2刷

イラスト・文	アイリス・ゴットリーブ
翻訳	野中モモ
ブックデザイン	イシジマデザイン制作室
編集	田中竜輔
発行者	上原哲郎
発行所	株式会社フィルムアート社
	〒150-0022
	東京都渋谷区恵比寿南1-20-6
	第21荒井ビル
	Tel. 03-5725-2001
	Fax. 03-5725-2626
	http://www.filmart.co.jp
印刷・製本	シナノ印刷株式会社

落丁・乱丁の本がございましたら、お手数ですが小社宛にお送りください。
送料は小社負担でお取り替えいたします。